朝鮮学校卒・在日3世、
ソウル在住13年

それでも韓国に住みますか

豊璋《Housho》
貿易コンサルタント

WAC

はじめに

「NO JAPAN」で1000万円を失う

「この件ですが、とりあえずストップします。さすがに今の状況ではマズいです。何をされるかわかりませんから……」

長年一緒に仕事をしているある韓国の百貨店のバイヤーからかかってきた電話は、私のビジネスへの「死刑宣告」だった。

ほぼ確実に決まっていた1000万円近い収入の見込みが吹き飛んだ。そして、私がこれまで築いてきたビジネスが逆回転を始めたのだ。

2019年夏、韓国は日本の韓国向け輸出管理の厳格化（韓国をホワイト国から除外した件）に対する反日不買運動、「NO　JAPAN」のまっただ中にあった。

民間の運動という名目だったが、文在寅《ムンジェイン》大統領（当時）は、「二度と日本に負けない」と支持勢力をあおっていた。ネット上には「買ってはいけない日本企業・日本製品のリスト」をまとめたページが登場し、日本食や日本旅行、日本企業の製品が好きだとはとても口に出せない雰囲気が急速に強まっていた。


もともと、世界一の反日として知られる韓国人だが、少なくとも舌では世界一の親日だと言える。

2010年代、日本への旅行は一大ブームとなった。2018年には、年間のべ750万人を超える韓国人が日本を訪問していた。

かつては「醤油臭い」とか「しょっぱすぎる」などと言われた日本の味もすっかり韓国人に浸透した。もう見かけだけの日本料理では満足できず、本物を求める韓国人が急増していた。実際に日本に行かなければ食べられない食事が、韓国で食べられることへのニーズが高まり、日本で修行したり、日本で修行した人の弟子になったりした人が開業する、客単価が数万円にもなる日本料理店も続々誕生していた。

「在日3世」として生まれ、朝鮮学校卒の私はひょんなきっかけで韓国に定住し、日韓の企業を結ぶ貿易コンサルタント、飲食をメインとしたアドバイザーになり、荒波にもまれながら、どうにかビジネスを続けてきた。

初期は、日本のデパ地下や空港などで売られていた高級菓子の導入支援だった。そのきっかけとなった大阪の「堂島ロール」が、バタークリーム中心だった韓国のケーキ業界に生クリーム旋風を起こし、驚異的な売上をたたき出して話題になった。デパートなどでは日本の有名ブランドの争奪戦が続き、結果、高級菓子はほぼ韓国に出店し尽くした。

そうした中で私は、ある百貨店の中に日本の寿司店、スープカレー店を誘致、展開する案件を進めていた。マーケティングやロジスティクスの調査を終え、金額面の調整も妥結し、仮契約直前の段階まで進んでいたのだ。

どちらも、韓国初登場だ。それまで韓国側が独力ではなかなか開けられなかった扉を何とか私が開き、大きな話題になる……はずだった。

結局、話は流れた。私が受け取れたのは、それまでにかかった交通費の実費だけだった。

文在寅政権が終わる２０２２年までその流れは続いた。

韓国に「帰国」した在日3世が何を伝えたいか

荒れ狂う「ＮＯ　ＪＡＰＡＮ」のせいで、日韓を結ぶ新規のコンサル案件はほぼなくなってしまった。

ソウルでの生活を何とか維持できる程度のレギュラー収入はあったが、忙しかった毎日がウソのように一変し、急に時間ができてしまった。

文在寅政権やその支持者たちの理不尽さに腹を立てても怒りのやり場がなかったある日、普段から連絡を取り合っている在日の後輩から、愚痴混じりの相談を受けた。私と同じく商売あがったりの状況だが、文句ばかり言っていても仕方がないので、新しいビジネスを考えているというのだ。

日本のネットメディアでは、文在寅政権やその支持者たちの反日ぶり、そして「ＮＯ　ＪＡＰＡＮ」の爆発で、現在の韓国の様子を伝えてくれる書き手が求められているという。

そこで、在韓の「在日」や日本人などを集めてレポートを書いてもらい、現地からいろいろな情報をとりまとめて発信できる業態を考えているので、力を貸してくれないかという。いいアイデアだ、と直感した。どちらにしても時間はたっぷりあるので、新しい会社に私も半分出資し、共同経営することにした。在韓日本人や在日、さらにこれまで日本のメディアにはほとんど出ていなかった脱北者など、今までの人脈をたどって記事を書いてくれそうな人に声をかけ、発掘して回った。慣れない分野での立ち上げは想像以上に大変だったが、19年内にはどうにか体制が整い、20年から本格的に稼働し始めた。ちょうど世界で新型コロナウイルスの大混乱が始まる直前だった。今考えれば、結果的にかなりいいタイミングで、ビジネスを転換できたと見ることもできる。

新会社が軌道に乗った頃、周囲の仲間たちからは、「豊璋さん自身も原稿を書いたらどうか？　絶対に面白いと思うのだが……」と勧められていた。確かに、面白い経験はたくさんしてきたと思うが、それまで文章などまともに書いたことはない。

どうしようかと迷っていたのだが、２０２２年夏から、ついに意を決して執筆を始めることにした。

なぜなら、私には、日本の皆さんに伝えたい思いが山ほど積もっていたからだ。

よく日本では、日本社会に不満を述べる（日本で生まれ育った）在日に対して、「不満があるなら自分の国に帰ればいいじゃない」と言う人がいる。

私自身はそれまでの人生で日本社会に不満など何もなかったが、後で述べるように、変わったなりゆきで韓国に「帰国」することになった。つまり私は、「本当に韓国に帰った在日3世」である。

その結果、どうなったか。

ビジネスの道理や信頼関係よりも政治の理屈が優先され、思わぬところから詐欺を働く人間の被害を受ける。日本にいるよりもずっとひどい差別にさらされる。話にもならない日韓問題への認識や反日理論に幻滅する。でこぼこの歩道でつまずき、不潔なトイレやそこら中でつばを吐くおじさんを見て嫌な気分になる。暮らしにくく幸福感を感じにくい社会にウンザリする……こうした「韓国への違和感」については山ほど言いたいことがある。

まず、一つだけアドバイスをしておくなら、私とは違って日本社会に不満を持っている在日であろうとも、旅行や短期留学ならともかく、勢いだけで安易に「帰国」しないほうがいい。日本でどんな不満を感じているのか知らないが、韓国で生活することのほうが何倍も厳しい。

結論を先に書いてしまうと、韓国で暮らすより、日本で暮らす方がずっといい。私自身も、できることなら日本に帰って暮らしたいと悩んでいる。

「豊璋」とは何者か？

私は日本で生まれ育った「在日3世」だ。

在日といっても、そのあり方はいろいろと異なる。わかりやすいところで言えば、「朝鮮」籍なのか、韓国籍なのか、日本に帰化したのか（元・在日）という違いがあるが、私の場合はもともと「朝鮮」籍で、18歳の時に自ら決心して韓国籍になった。

朝鮮総連の幹部の家に生まれ、高校（高級学校）まで朝鮮学校に通った。その「おかげ」で、韓国語（朝鮮語）でのコミュニケーションが可能だ。もちろん日本語の方が得意ではあるけれど（「よくそんな韓国語で韓国人と言えるな」と韓国人から何度も言われた）。

２０２２年夏から執筆活動を開始し、日本のネットメディアに向けて記事を送っている。おかげさまで「在日３世」シリーズは好評をいただき、今回、初めて本としてまとめる機会をいただくことになった。

「豊璋《ほうしょう》」という名前は、もちろんペンネームだ。私の記事をお読みいただいた方ならお分かりだろうが、韓国社会や日韓問題だけでなく、北朝鮮や、朝鮮学校・朝鮮総連に関する問題にも切り込んでいる。とてもではないが、本名で執筆活動することは危険だ。

一方で、「豊璋」という名前は、百済《くだら》の最後の王、義慈王《ぎじおう》の王子、扶余《ふよ》豊璋からいただいた。日本史に詳しい方はご存じかと思うが、百済の乱によって大化の改新以前の日本（倭）に渡来し、日本で30年を過ごした後に帰国し、滅亡後の百済を率い、復興を夢見て日本の助けを借りて唐・新羅《しらぎ》と争った白村江《はくそんこう》の戦い（６６３年）で敗れ去った人物である。

私自身もほんの数年前まで知らなかったのだが、自分のルーツを調べていくうち、日本と朝鮮半島の関係の象徴とも言うべきこの豊璋が、先祖であることが偶然わかって衝撃を受けた。在日だからなのか、もともと自分のルーツに関しては敏感だったし、朝鮮学校に通っていた小学生の頃から、アメリカのドラマ「ルーツ」を食い入るように見ていたのだが、まさか自分が百済の王子・豊璋の末裔だとは想像もしていなかった。

そこで、執筆活動を始めるにあたって、この名前を借りることにした。

日本の読者からの思わぬ反応

こうして「豊璋」による「在日3世」シリーズは現代ビジネスやJBプレスといったオンラインメディアで始まったのだが、日本人読者から高い反応を得られたのは、私自身には驚きだった。ただ、私に原稿執筆を勧めた仲間たちは「当然だ」という反応である。

とにかくありがたいことではあるが、私なりにその背景を考えてみると、こんな理由からなのではないか。

まず、かつてと比べ、日本人の韓国に対する関心、あるいは問題意識が高くなっていること。

90年代、私が日本人の友人や政治家と話をしていても、例えば竹島問題、朝鮮総連の問題、あるいは朝鮮半島そのものに関するあらゆる話に関心が薄かった。

反対のパターンもある。私が朝鮮総連を批判したり、韓国のあり方を批判したりすると、

「頭がおかしいのか？　そんな話はやめておけ」と日本人から注意される有り様だった。

2002年、小泉純一郎首相（当時）が訪朝し、金正日《キムジョンイル》総書記（同）と、史上初の日朝首脳会談が行われた。ここで北朝鮮は、日本人の拉致を認め、公式に謝罪をした。日本人の考え方、特に北朝鮮や朝鮮総連に対する視線は、これをきっかけに急速に厳しくなった。というより、初めて多くの日本人が目覚め、真面目にこの問題を考えるようになったと感じる。その流れが、朝鮮半島への関心、そして目に見える形で反日を繰り広げる韓国左派への関心や不快感、怒りへとつながっていったと思われる。私はそこに「はまった」形なのだろう。

次に、自分で言うのも変な話だが、私の原稿は面白いに違いないからだ。

私が「在日3世」として韓国で感じるさまざまな「違和感」が面白く、新鮮に感じられるのは、なんと言っても私が高い「対価」の代わりに得た話に基づいているからだ。

詳しくは第2章で述べたいが、韓国に渡って以降、私がビジネスで詐欺に遭った金額は、総額で4000万円（ウォンではない）近くになる。毎年毎年、いろいろなパターンでお金を詐欺られてきた。「NO　JAPAN」での利益消失はさすがに詐欺とは言えないが、要するにそういう「実績」を積み重ね、「血の涙」を流しながら得てきた体験、情報なのだ。

面白くないはずがない。

私の記事を見て、韓国人、日本人を問わず文句をつけてくる人、批判してくる人もいる。「嫌韓」だと指さす人もいる。見る人の視点や立場によるのだろうが、私に言わせてもらえるなら、私の見た韓国、私の経験した韓国は、立場の強い大手日本企業の韓国駐在員や、マスコミのソウル特派員、学者先生や留学生ではまず直面することも知る機会もない、むき出しのものばかりなのだ。

私は「在日野蛮人」

もう一つ、付け加えるとしたら、私の周囲の仲間が私に原稿執筆を勧めた理由と共通する。私は「変な人」だからだ。

自覚もしているつもりだ。初めて会う日本人には、名刺交換の段階から「初めまして。豊璋です。『在日3世』の『野蛮人』ですが、どうぞよろしくお願いします」と自己紹介している。

自分自身が在日であることを隠すつもりは初めからないし、在日の中でも変わった人間だとアピールすると、大概の日本人は面白がってくれて、時には「もともと在日は嫌いだった」という人でさえかわいがってくれる。民族や国籍の違いは「ただの違い」となり、差別的な感情は消え去る。ただ1人の「私」になれることがとても心地良いのだ。そして、どうしても「在日」とは関わりたくないという人とは、最初からお互い適切な距離を取れる。

そんな「在日野蛮人」の視点から現在の韓国を切り取ると、おかしなことばかりなのだ。政治的、歴史的な問題について、いちいちあれこれ誰かの信条を批判するつもりはない。ただ、その根拠がウソだったり、大げさだったりするのが、私にはよく透けて見える。朝鮮学校、日本でのビジネス経験、そして韓国でのさまざまな経験を経ているからこそ、イヤでも見えてしまう。


本書は、韓国社会や韓国人一般、韓国でのビジネス、そして、日韓関係や日本を見る韓国人の視点に対して、「在日野蛮人」の私が抱いた「違和感」を述べていく。

そして、こんな私を生んだ「出身地」である朝鮮学校や朝鮮総連についても、最後の章で述べていきたい。案外日本の皆さんも韓国人も知らないことだらけだと思う。

読者の皆さんが、私の抱く「違和感」を知り、面白がってくださったり、考えてくださる部分が少しでも増えればうれしい。

同時に、これまで日韓の問題を重要視せず、文在寅政権に代表されるような「反日言いたい放題」の韓国を放置してきたことへの警鐘として捉えていただけるといい。特に、韓国に対して何一つ知らず、ただ「民度が低い」といった粗っぽい認識をしている日本人(若い層に多い印象がある)は、「反日」で何十年もの間理論武装をしてきた韓国人に、とてもではないが対抗できないだろう。

韓国なんて興味ない、日韓は関係を断絶すべき、と口で言うのは簡単だ。ただ、その結果が韓国に対して完全な丸裸で、反日され放題の日本を、日本人が自ら放置することなら、竹島問題を放置してきて完全に取られたこれまでの日本人と何ら変わるところはない。

「在日野蛮人」の私は、韓国人にも日本人にも言いたいことがいっぱいあるのだ。

私のこの本が、日韓両国民が日韓問題をちょっと違った観点から考える契機になり、そこから何かを得られたら幸いだ。

朝鮮学校卒・在日3世、ソウル在住13年

それでも韓国に住みますか

◎目次

第3章 「在日3世」が感じた「反日への違和感」

取材協力／増澤健太郎
装幀／須川貴弘（ＷＡＣ装幀室）

第1章

「在日3世」が抱いた「韓国社会への違和感」

これが先進国？　韓国で経験した驚きの出来事たち

「在日3世」として日本で生まれ育った私が韓国に定住することになったきっかけは次の章でまとめて紹介するが、気がつけばもうまる12年もの間、韓国に住み続けていることになる。それ以前から日韓を行き来してビジネスをしていたのだが、実際に住み始めるとより細かな景色が見えるようになる。

我ながら、よくここまで耐えてきたと思う。

特に、韓国にやってきた最初の頃の思い出は、忘れられない強烈な印象として、今も頭に刻まれている。こんな社会で自分が生きていかなければならないのか、という当時の幻滅感を思い出す。同時に、今の韓国社会もあまり変わっていないか、もっとひどくなっている面もあり、二度幻滅する。

最初の章では、韓国生活や韓国社会で私が感じる「違和感」を述べてみたい。

仕事で釜山《プサン》からソウルまで高速道路で移動していた。釜山の街を抜け郊外に入ると、そこに広がっているのは田園の風景だ。日本ならばこんな場合、田園や自然を見てヒーリングにもなるのだろうが、韓国はそうではないことが多い。雑草生え放題、廃屋やごみが放置され、どことなくごちゃごちゃしていて美的な感じがしない。

そんな中、驚きの光景が目に入ってしまった。

畑と畑の間で、農民と思われる人が野グソをしていたのだ。

車からその光景が見えた瞬間、開いた口が塞がらなくなった。いくらなんでも、21世紀になってこんなことがあり得るのか？　何なんだ……？

韓国の農村と言えば有名なエピソードがある。2012年のロンドンオリンピックで、体操の梁鶴善《ヤンハクソン》選手が金メダルを取った。もちろん、国中大騒ぎだ。そこでマスコミが梁選手の両親を訪ねていくと、農地のビニールハウスで暮らしていたというのだ。

そんな環境から金メダル選手が出ることもすごいが、どんなに経済的に苦しい事情があろうと、金メダルを取るような選手の両親がビニールハウスに住んでいるということ自体、日本の感覚では信じられない。ニュースでは、建設会社や地元自治体などが協力して家を建てプレゼントするという「美談」として紹介されていたのだが、それ以前に先進国だったらあり得ない話ではないか。

私は当時、そんな考えを個人のフェイスブック（韓国では個人の考えや政治的な議論をフェイスブックでやり取りすることが多い）に載せたところ、これが見事に炎上してしまった。私の感覚がおかしいのだろうか？

貧困に関する驚きは他にもある。街中を歩いていると、時々何百メートルも続く長い行列に出くわす。多くは高齢者で、騒ぎもせずじっと待っている。何の列なのかと先頭まで行ってみると、それは決まってボランティアの無料給食所なのだ。並ぶ側もプロと化していて、彼らの会話を聞いていると毎週何曜日にどこで炊き出しがあるかよく把握している。今日はソウルのどこで、明日は京畿道《キョンギド》のどこで……韓国では65歳になると公共交通機関が無料になるので、自力で移動する元気があれば、現金がなくてもボランティアの善意でとりあえず食事ができることになる。

日本でも最近は公園で炊き出しなどをしていると聞くが、さすがに高齢者が何百メートルもの行列を作っていたりはしないだろう。これが自称・先進国の姿なのだ。

冷水シャワーと血のにじむ浴槽の洗礼

もっと軽い話もある。韓国に移住して、初めて美容院に行ったときのこと。新規オープンしたばかりのようでまだ内装や設備がきれいな店だったが、驚いたのは、シャンプーの時、出てきたのが冷水だったことだ。

なにせ真冬だったので飛び上がった。ソウルの冬は東京や大阪より10度近く寒い。これにはさすがにびっくりして意地悪をされているのではないかと思い聞いてみると、「まだボイラーが設置されていないので……」と言い訳をする。「いや待ってくれ、だったらまだオープンしてはいけないだろう」と思うのだが、そんなことを言い返したら「だったらあなたが私たちの収入を保証してくれるんですか！」と韓国流論理で逆ギレされるのがオチなので止めた。ちなみにこの美容院は今も営業している。

数珠つなぎのように思い出す。

温水シャワーというと、韓国では基本的に家には浴槽がなくシャワーしかないため、週に1～2回近所の銭湯に行く人が多い。乾燥した気候だし、日本ほど暑くないため、毎日風呂に入らない人もいるし、シャワーでも十分と言えば十分だ。ただ私は日本育ちなので浴槽が恋しく、よく銭湯に出かける。だが、その光景は日本と大きく違う。

浴槽で半身浴しながら器用に新聞や本を読んでいるご老人はまだいいほうだ。店主がサービス用のタオルを客のいるサウナ内で当然のように干している。浴室に入る際多くの人が床に唾を吐く。洗濯物を持ち込んで洗濯する人が多いのか、至る所に「洗濯禁止」と書いてある。

もっとも驚いたのは、ケガをしている人が浴槽内でバンドエイドを剝がし、たちまち浴槽内に血がしみ出した時だった。思わず身震いした。恐怖映画さながら、そんな状態で、なぜわざわざ銭湯に来るのだろう?

タクシーも日韓の差がよく出るシチュエーションだ。仁川《インチョン》空港に向かってタクシーに乗っていたときのこと。運転手が猛スピードで飛ばしていたら、上り坂の頂上で車体がジャンプし、着地の際の衝撃で私は腰をやられてしまった。

飛行機には乗れそうにないので急遽行き先を病院に変えてもらった。運転手は心配そうに様子をのぞいていたが、私が診察の手続きをしている間にさっと姿を消した。つまり、逃げたのである。私もよく心得ているので、病院に向かう途中で運転手の氏名などをスマホで撮影していて、しっかり警察に通報した。

最近日本に「帰国」して、久々に日本のタクシーに乗る機会があった。料金は韓国の3倍ほどかかるが、安全運転、清潔な車内、おもてなしの精神と上品で楽しい会話……どれを取っても韓国とは比べものにならない。わざと遠回りすることがけっこうある韓国と違って、日本だと騙されないかと気を張る必要もない。これが本当の先進国の姿なのではないか。

韓国では「お客さまは神様」という概念をほぼ感じない。いつも不機嫌そうな店員。仕事よりもスマホに熱心なコンビニのアルバイト。ようやくコロナ禍が一段落し、大勢の韓国人が再び日本を訪れるようになっているが、国内旅行より日本旅行を好む理由は、こういうところにもあるのだろう。

きらびやかな街並みは「ハリボテ」

私が住んでいるのはソウルの南側、江南《カンナム》である。多少韓国に詳しい人や、韓国ドラマが好きな人であれば、江南と聞いただけで、お金持ちでおしゃれな人たち、一流企業の社員たちが闊歩《かっぽ》していて、漢江《ハンガン》を望む超高層マンション（韓国ではマンションを「アパート」と呼ぶ）や、きれいなカフェやレストラン、高級ブランドのブティックが並ぶ、きらびやかな光景を想像するだろう。

だが、それは表向きだけのことだ。要するに「ハリボテ」と言っていい。

まず、韓国社会はソウル一極集中だ。ソウルの中心部がきらびやかになる中で、郊外はどんどん寂れ、地方都市から人口が流出し、田舎は荒れ果てている。韓国好きを自称する日本人の頭に浮かんでいる「韓国」とは、ソウルだけ、あるいはせいぜい釜山や、済州島《チェジュド》を初めとする観光地のことであって、ごく表面しか見ていないと感じる。

また、私の住む江南自体が、壮大な「ハリボテ」であるとも言える。

例えば、江南の中心、江南駅の交差点を東西に走るテヘラン路（ソウルがテヘランと姉妹都市であることにちなんで付けられた通り名）や南北の江南大路に沿った建物は、きれいでおしゃれなものが多い。サムスンをはじめ、大企業の本社ビルも並んでいる。

もしも江南に来る機会があったら、次回は一本裏の路地にも入ってみて欲しい。そこには全くと言っていいほど違った光景が見えてくるはずだ。

ビルや超高層のマンションがそびえ立つ周囲には、ヴィラと呼ばれる、4～5階建てくらいの低層の住宅が並ぶ。すでに老朽化している建物が多く、日当たりも良くない。古いビルには、映画『パラサイト』で有名になった半地下の部屋も見える。路上駐車は当たり前だし、あちこちごみやチラシが落ちていたり、テレビやパソコンなどが不法投棄されていたりするのに、人々は気にもしていない。また、電柱の立て付けがいい加減だし、電線を付けたり切断したりしすぎて入り乱れ、垂れ下がっているごちゃごちゃ感は日本と比較にならない。

たとえるならば、ソウルの中心地は「映画のセット」のようだ。表面や目立つところは立派に、きれいに作ってあるが、一歩裏に回ると、ベニヤ板で作ったセットだった……そんな感覚に近い。

韓国の歩道で転んでしまう理由

韓国と行き来を始めた頃、よく歩道で転びそうになったり、実際に転んでしまったりしたことがある。これは、旅行で韓国に来たことがある多くの日本人にも経験があるのではないか。

歩道のブロックは、最初はきれいに作っているのかもしれないが、あっという間に段差ができたり、くぼみが生じたりする。気をつけて歩いていないと足を取られてしまう。始末が悪いのは、最近見かけ上はきれいに作ってある道が増えて、日本に戻ったような感覚で歩き始めると、数ミリのわずかな段差や遠目には判別できないくぼみを見逃しがちになって、むしろ転びやすくなってしまうことだ。特に、視界が悪くなる夕方から夜にかけては要注意だ。

私はかつて、イタリア製の20万円くらいした革のブーツを履いて意気揚々と歩いていたらたちまち転んでしまい、ブーツをすぐダメにしてしまった経験がある。以来、韓国の街を歩くときは常にスニーカーである。

少しつまずくくらいで済む話ならまだいいが、私には、こうした韓国の道路事情、あるいはそれを許している韓国社会そのものが、２０２２年10月29日の梨泰院での事故（ハロウィン直前の土曜の夜、狭い坂道の道路に大勢の人が殺到して起きた群衆事故、死者１５９人、うち２人が日本人）と強く関連していると思える。

まず、いくらソウルが山がちな盆地の街とは言え、大通りに向かって地形をならしたり、整えたりする改修が少ないこと。細い道が大通りに合流する際、急な坂になっている場所があちこちに見られる。小型バイクでは上れないこともあるし、周囲の歩道もうねっている。とってつけたように階段になっている場所もある。雪が降ったり、凍結したりすれば転倒事故も起きやすい。

梨泰院も山のふもとにできた町で、事故の起きた場所だけでなく、裏路地は坂が多い。

ハロウィンで盛り上がることに対して、大混雑は迷惑だと感じる商人もいただろうが、もうかるなら営業するしかないと考えた人も多いだろう。また不法建築で現場の道路は狭められていたともいう。

事件はまだ裁判の途中だが、現地の龍山《ヨンサン》区庁や所轄の警察などに一定の落ち度があったことは否定できないだろう。ただこうしたとき、日本であれば事前にさまざまな可能性を考え、できるだけリスクを減らすように、役所も警察も地元商店街も相談、協力するものだろうが、私がコンサルタントとしていろいろな韓国人と接してきた経験から言えば、韓国でそういったことはあまりない。自分の商売や生活で精いっぱい、あるいは自分に責任が来なければいい、という考え方が、結局は「自分さえよければあとは全て他人事」の社会になっている。

そして、いざ大事故が起きれば、科学的な検証をして、仕組みややり方を変える話よりも、スケープゴート探しや責任のなすりつけ合いが始まる。それは、歩道で転びそうになる「小さな事故」の原因と、実は同じ根っこなのではないかと思う。

同時に、警察の手薄さが非難される背景には、警察の手が市民団体のデモ警備に取られすぎていることがある。これは後でまとめて述べる。

なぜ韓国のトイレは汚れているのか？

でこぼこの歩道以外に日本人にもわかりやすい「違和感」として、トイレをめぐるあれこれがある。

日本では、多くのコンビニに清潔なウォシュレットのトイレが備え付けてあり、たえず掃除がしてあって誰でも利用できるようにしてくれているのが本当にありがたい！　街中で急に催しても、コンビニさえ探せばなんとかなる。

韓国ではそうはいかない。大型のビルや百貨店、ショッピングモール、ホテルなど、一般の人でも利用できるきれいなトイレがないわけではないが、絶対数が少なすぎる。トイレをいつも気にしている人のために、トイレの場所を調べられるスマホアプリが複数登場している。

かつて日韓のトイレにおける最大の違いは、便器の横に備え付けてある「ゴミ箱」の存在だった。使用後のトイレットペーパーをトイレに流すのではなく、「ゴミ箱に捨てろ」ということだ。冬場はともかく、夏はひどい悪臭のもとになるし、日本人の感覚ではそもそも受け入れがたい方式だ。

この「ゴミ箱」だが、近年は急速に数を減らしている。ペーパーの質が向上し、水によく溶けるようになったからだろう。ただし古いビルなどにはいまだに「箱」が存在していることもあるので、ハングルが読めない外国人旅行者にはかえって区別がしにくくなっているかもしれない。

それでも、鉄道駅や公共施設など、まだゴワゴワした安物のペーパーを使っているところもないわけではない。また、調子に乗って紙を大量に流そうとすると、たちまち詰まってしまうことになる。

実は私が韓国生活の中で何度か引っ越しするうち、自宅に最初からいわゆる「スッポン」が「標準装備」されていなかったのは、4回目である今の住まいが初めてだ。それまでの3つの部屋には、いずれも最初から当たり前のようにスッポンが備えてあった。実際に入居はしなかったが、買えば数億円はくだらない江南の高級マンションを内見した際も、トイレにはスッポンがあったものだ。今の家は、スッポンの必要がなくなったのだろう。やはり、安心して流せるのは心が落ち着く。この点では韓国も少し改善されたと言えるだろう。

一方で、どうしても日本育ちには理解が難しい現象がある。韓国では、男性用の小便器の周辺が、なにか配管関係が壊れているのではないかと思うくらいびちゃびちゃにぬれていることが多い。

その理由が何なのかよく分からなかったのだが、あるとき理由を突き止めた。韓国人は酔っ払うと、なぜなのかは分からないが、小便器から離れて放尿するくせがあるようなのだ。それも1メートル近く離れて、である。初めて見たときにはさすがに驚いたが、なるほど、だから汚れるのかと妙に納得した。

理由は謎である。もしご存じの方がいたら、ぜひ教えて欲しい。なぜ韓国人男性は酔っ払うと便器から1メートルも離れてするのか。

貧弱な居住事情、高くて買えないマンション

韓国、特にソウル首都圏のマンションは本当に高い。もっともここ1年あまり、世界的な金利引き上げの影響を受け下がり始めてはいるが、それでも東京周辺の同じような物件と比べれば明らかに高価だ。一般的な家族向け物件であれば、中古でもソウル市内で1億

円を下回る物件はなかなかないだろう。

韓国では、マンションを買い求める人、買えない人、借りる人、貸す人にも、作る人にも売る人にも、さまざまな思いや出来事がある。次から次にマンションを買い、近年の急激な値上がりであっという間に成金になった人、有り金をかき集め、できる借金を全てして高値でマンションを買った途端、値下がりと変動金利上昇によるローン返済金額急増に悩まされる人、それさえできずに、株式や仮想通貨で一攫千金を夢見て滅びた人、税制の変化に翻弄されている人、チョンセと呼ばれる韓国独特の賃貸の形態を悪用した詐欺犯罪……マンションや不動産を巡るニュースは毎日途切れることがない。

私自身はと言うと、韓国移住後それなりにがんばって来たつもりだったが、結局マンション購入には手が出ず、いまだに賃貸暮らしである。あまり物欲がないからなのかもしれないが、最近のマンション事情の混乱を見ていると、むしろ手を出さなくて良かったとさえ思える。

マンションといえば、現実的な形をした韓国人の一つの夢とも言えるが、建築物だから、当然作る人がいる。

2022年1月には、光州《クワンジュ》市の中心部にある39階建て高層マンション建設現場で、外壁や床が23階部分まで崩落する事故が発生し、6人が死亡した。冬場にも関わらず、コンクリートの強度を十分に管理しないままスピード優先で上階を作ってしまい、重みに耐えられなかったためだという。悲惨な話で、亡くなった方は気の毒と言うほかない。

一方で、こんな珍事件も報告されている。京畿道華城《ファソン》市のある新築マンションに入居した住民が、室内から原因不明の異臭がすると施工した会社に申し出たところ、調査の結果原因が洗面所の天井に放置されていた「人糞の入った袋」だったことが判明して話題になった。同様の事例はこの後多数報告されている。

韓国の高層マンションは、日本とは違い、広い敷地に複数の棟を建築する団地形式が主だ。だが建築する際、仮設トイレは1棟に1基、それも1階の野外にしか設置せず、数も労働者数百人に1基程度しかないという。

いちいち1階に行くには時間がかかるし、その間作業が止まることを元請けの監督者が嫌うので、下請け労働者はどこか部屋を決めて、そこに一斗缶のような物に袋を入れて隅で用を済ませ、後でまとめて処理することが常態化しているのだという。完成後も残されていた袋は、「事後処理」されないまま放置されたようだ。

なお、このニュースを受けて、韓国社会では、実は多くの現場で袋を処理するのが面倒になり、そのままコンクリートを流す際に袋ごと混ぜてしまっているという噂が流れたが、さすがにこれは事実ではないらしい。

ちなみに、日本の建設現場の場合であれば、何階かごとに仮設トイレが設置されているそうだ。

いずれにしてもこのニュースが韓国で話題になったのは、労働者の厳しい環境というより、大金を工面しやっとの思いで買った自分のマンションの天井裏にも、もしかして人糞袋が潜んでいるのではないか？ という「恐怖感」からだったのだろう。せめて、仮設トイレくらいは設置してあげてほしいものだ。

韓国が日本を追い越した？ バカ言え！

2022年12月15日、日本経済新聞は、日本の1人当たりGDP（国内総生産）が27年に韓国を下回るという日本経済研究センターの試算を報じ、韓国でも大きな話題になった。「日本は行政などのデジタル化が遅れ、労働生産性が伸び悩むことが主因だ」（同紙）という。

もともと韓国人、特に文在寅政権を支持する人たちは、「日本を上回った」という話が大好きである。それは「韓国が先進国になった」ことの証でもあるからだ。このニュースは彼らの願いを裏付けるものであろう。

もっとも、この背景は日本の突出した高齢化率の高さ（韓国のほぼ倍）で説明できるという話もある。働かない人はGDPを増やさないし、1人当たりで割り算する際には「不利」になるからだ。だが、韓国も人ごとではない。韓国の少子化、高齢化は異例のペースで進んでいて、高齢化率はあと30年足らずで日本を抜き世界一になることが、人口統計学的に確実視されているという。

ただ私は、韓国で暮らす一人の生活者として、「韓国が日本よりも豊かになった」とはどうしても実感できない。私の友人や仲間たちも同様だし、恐らく日本を知っている周辺の韓国人に聞いても、表向きは日本より数字で勝ることを喜びながら、日本と関係が深い人ほど、内心では疑問に思っている人が大半なのではないか。第一、日本を追い越し、日本よりもよい社会で、豊かな暮らしを楽しめているのであれば、次の章で述べるような詐欺の数々など起こり得ないはずなのだが……。

実際、日本を追い越したとはとても思えない出来事は多い。

やはり2022年の終わり、日本カー・オブ・ザ・イヤー（2022－23）で、現代《ヒョンデ》自動車（ヒュンダイ自動車）の電気自動車「ＩＯＮＩＱ５《アイオニック》」が第6位を獲得、輸入車部門の「インポート・カー・オブ・ザ・イヤー」を獲得した。これは韓国車として初の「快挙」で、同実行委員会のホームページでは、授賞理由として「革新的なエクステリア／インテリアデザイン」や、「バッテリーＥＶとしての実用的な航続距離や卓越した動力性能」、「充実した快適装備や安全装備」などを挙げている。

これもまた、韓国人にとっては日本を追い越したと感じられる典型的ニュースなのだが、私にはその一方で最近多発している同車の発火、炎上による死亡事故が気になってしまう。衝突後数秒で炎上し、しかもドアロックを解除できず外にも出られない。脱出は事実上不可能だったのだ。〝最先端〟の車を買ったのに、社内に火が回り、ドアを開けられずに焼死とは本当にたまらない。韓国メディアは日本に追いついたと煽る前に、こうした問題をもっと報じた方がいい。

確かに一部では、韓国が日本よりも勝っている部分はあるだろう。ここ数年で日韓の行政手続きにおけるＩＴ化の進み具合は明らかに異なることがはっきりした。韓国では「日本ではいまだにファクスを使っている」とよく揶揄《やゆ》している。もっともこれは私も「被害者」の一人で、日本のお得意さんから、書類を「ファクスで送ります」と言われてしまうと受け取り方が難しくて困ってしまう。

ただ、こんな話もある。コロナ禍のまっただ中、一時期韓国では食堂やカフェなどに出入りする人の情報を管理するため、スマホで表示したＱＲコードで認証することが必要な時期があった。こんなことをもってしても韓国人は自分たちのＩＴ大国ぶりを誇るが、ＱＲコード自体は日本企業の発明品であり、しかもありがたいことに一切特許料を取らずに技術を解放しているからこそ、韓国人も気兼ねなく使えているのだ。

そして、その事実を知った一部の左派系（つまり反日の）市民団体が、日本のＱＲコードを使うことに反対したため、ＱＲコード以外に電話番号でも認証できるようシステムが変わったという説もある。「ＮＯ　ＪＡＰＡＮ」のあまり、むしろ不便な仕組みを使おうとするのも韓国人らしい行動ではある。

本当に日韓の豊かさが逆転したのなら、韓国社会の暮らし安さ、快適さもぜひ日本を上回って欲しいし、非生産的でばかばかしい反日など、早く止めて欲しいというのが本音だ。

一方で、もしも本当に日韓逆転が目に見えて進んだとしたら、むしろ日本社会の中で「反韓」が高まってくるようなことはないだろうか。少し心配ではある。

若い日本人の「韓国好き」は幻想の賜物だ

韓国ドラマや韓国映画、Ｋ－ＰＯＰのアイドルなどを通じて韓国に憧れたり、実際に旅行や留学をしたりする日本人が少なくない。

一見いいことのようだが、韓国の実情を知り、痛い目に遭ってきた私には、そうした「典型的韓国好きの日本人」は、それまで韓国の現実を知る機会がなく、きれいな部分だけを見て幻想を抱いている可能性が高いと言わざるを得ない。

ある知り合いの娘さんは大学生だが、韓国に憧れ、一流大学で1年間の交換留学の機会を得た。しかし、期待を持ってやってくると、期間の半分もたたないうちに日本に帰りたくなったという。

その理由は複数ある。住環境の貧弱さ、不潔さ。日本よりも高い物価。そして強引でデリカシーのない男性。どれも、韓国ドラマの中ではなかなか描かれない要素ではある。

ドラマの中の生活はきらびやかで、食べ物はおいしそうに見えるし、イケメンの男性主人公は甘い言葉をささやくだろう。韓国は先進国だ、最新トレンドを発信するおしゃれな国だと信じてやってきたのに、まさかスッポンで詰まったトイレを夜中に流す羽目になるとは想像していなかったに違いない。

「パリ症候群」ならぬ、「ソウル症候群」だ。

実際のソウル生活はハードである。夜に江南の飲み屋街を歩いていると、今時の日本では滅多にお目にかかれない、酔客同士の本気のケンカをあちこちで見かける。30代でも、60代でもケンカしている。

私が実際に見た中で強烈だったのは、飲み過ぎて吐いている状態の人が、吐きながらケンカをしていたシーンだ。そんな先進国が、この世のどこにあるのだろう。吐くのは暴言だけで十分なのに。

在日をきっちり差別する韓国人

私が絶対に避けて通れない韓国社会への「違和感」は、この社会、あるいはこの社会に暮らしている韓国人たちが、実はかなり差別的だという点だ。

私自身も、国籍で言えばはっきりと韓国人だ。しかし母国語は日本語、日本生まれ日本育ちの「在日3世」である。韓国では「在日韓国人」のことを「在日僑胞《ジェイルキョッポ》」あるいは単に「僑胞《キョッポ》」と呼ぶが、韓国生まれ韓国育ちの韓国人であれば、在日を露骨に差別するケースが珍しくない。これは、想像をはるかに超える強さだ。

韓国社会では、私のような在日は「パン・チョッパリ」（半・日本人の意。「チョッパリ」はかつて下駄を履いていた日本人の足を豚の足になぞらえた言葉で、現代の韓国社会では表向き使ってはいけない差別語・侮蔑語として扱われる）と呼ばれる。要するに「在日の国籍がいくら韓国であろうと、真の韓国人としては認めない」ということなのだ。

私は朝鮮学校で朝鮮語を学習したため、日常会話や生活は問題なくできる。ただ、北朝鮮の標準語は韓国のそれとは異なるし、そこに日本語を母国語とする人に特有の、発音のくせが混ざる。どうしても韓国語ネイティブには、片言のように聞こえてしまう。そして、韓国社会では決まって、なぜそうなのか、個人的な事情を根掘り葉掘り聞かれてうんざりする。

在日に対する態度は厳しい。

嫌な顔をされるくらいならまだいい。

私はかつて一緒に仕事をしていた韓国人、しかも年下から、「そんな片言で、よく韓国人と名乗れるな」と真顔で言われたことがある。

現在のロッテグループを率いている重光昭夫《しげみつあきお》（辛東彬《シンドンビン》）会長も、日本語ネイティブ特有の韓国語をよく批判されている。それなりに苦労して学んだはずなのに、まして祖国の韓国で多数の雇用を提供しているはずなのに、彼に対するこの雰囲気には違和感と矛盾しか覚えない。かつて韓国が経済的に厳しかった時代、韓国政府から乞われ、ある意味では在日社会を代表して発展途上の韓国にリスク覚悟で投資し、「漢江の奇跡」に貢献したのがロッテだ。それが、今や反日勢力から「日本企業は日本に帰れ」とののしられる有り様だ。

もしも日本で、見かけは日本人と変わらない日系人が片言の日本語を話した場合、一生懸命日本語を話そうとする姿勢に対して尊重はしても、まさかしつこく事情を聞いたり「そんな片言の日本語でよく日本人と名乗れるな」などと、本人に面と向かって言ったりはしないだろう。

韓国人は、もし欧米人が、あるいは明らかに日本人とわかる人が片言の韓国語を話したら、手のひらを返して「ウリマル（韓国語）お上手ですね！」と優しく対応するに違いない。また、同じ在外国民でもアメリカ出身なら、韓国語が不自由でもそこまでなじられはしない。つまり、韓国人は相手によって対応を変えているわけだ。

90年代、ソウルにある昔ながらの喫茶店に入ってアイスコーヒーを頼んだら(やかんに入っているインスタントコーヒーを注がれて閉口したが)、店主のおばさんから「あんた！男が、人前でそんなにニタニタ笑っているんじゃない！」と説教を食らってびっくりしたことがある。

まだ日韓の経済力の差が大きかった時代、私のファッションや髪型、韓国語の発音、そして外国人がまず入店することはなさそうな店に現れ、笑みを浮かべて受け答えしたことで、そのおばさんは私が在日であることを正確に見抜き、「あんた在日だろう？　韓国人の男なら人前でニタニタするなんて恥ずかしいことと思え」と言い始めたわけだ。つまり、ニタニタしているお前は韓国人の風上にも置けない、という意味での説教だった。

こうした背景には、かつて日本人の生活水準に近い在日が、韓国人一般よりもはるかにいい暮らしをしていた時代、韓国人の解釈では「在日は国を捨てて裕福な暮らしをしてきた連中」というやっかみを生みやすかったことがある。

私はその後しばらく韓国に行くことはなかったが、そのときのことがトラウマになって、十数年後再び韓国にひんぱんに通うことになった際、どうしても表情を引き締め気味にしてしまうのだった。もちろん現代の韓国では、ドラマのような甘い笑顔ではないとしても、男性でも普通にほほ笑んでいることは言うまでもない。

日本での「指紋押捺反対闘争」って何だったの？

在日に対する差別は、社会的な仕組みとしても存在している。

韓国人なら誰でも、出生を申告した時点で住民登録番号という番号が付けられ、一生その番号を使って生活する。日本で言う「マイナンバー」だが、使う機会は公的な手続き以外にも非常に多い。韓国人は満17歳になった時点で顔写真と名前や住所、そして番号の入った「住民登録証」というカードを交付され、原則として常時携帯していなければならない。また、この登録証をビジネスの際にも本人証明としてひんぱんに使用する。

ところで、在日を含む在外同胞の場合、詳細は省くが、番号の付け方が韓国生まれの韓国人とは違っていて、カードにも「住民登録証」の下にカッコ書きで「在外国民」と明記されている。つまり番号やカードを見られた段階で、「普通の韓国人ではない」ことが分かってしまう。これでもまだ改善された方で、以前は在外国民の場合は住民登録証自体が作れず、代わりに「在外国民国内居所申告証」というカードが発行されていた。このままでは国内で選挙に投票できなかった。

　また、「住民登録証」であろうとかつての「居所申告証」であろうと、カードを作る際には全部の指の指紋登録が必須となるのにも驚いた（住民登録書は10本の指2回、印鑑証明にも人差し指の押捺が必要だった）。在日はかつてあれだけ日本で「指紋押捺は差別だ！」とデモしていたのだが、韓国では全国民が18才の時に指紋押捺を「強制」されているわけだ。「人権だ、何だ」と言ったあの在日の反対運動はいったい何だったのか……。

　在日だと、ビジネスの上でも困ることがある。決定的なのは会社を設立するときだ。私が初めて会社を作ろうとした時、事業で成功している10人以上の韓国人の諸先輩方から、「在日の名前で会社を作っても韓国では相手にされない」と助言を受けた。代表が在日だと、ビジネスでは大きく不利になると言うことだ。結局、私が全額を出資したのに、韓国人の友人を代わりに代表に立てた。そして、その後の生活で、先輩方のアドバイスは「適切」で、実際その通りだと悟ることになった。

　こうして、21世紀の韓国では、今も堂々と差別が行われているわけだ。それも「同胞」に対して。

　私は日本で、在日だからと言ってこうした差別や不満を感じたことはない。もっとも私がまだ幼かった頃、日本で祖母や母親が漬けたキムチを近所へお裾分けした時「こんな臭いもの食べられるか！」と目の前で捨てられたり、幼馴染の日本人に「朝鮮人！　あっちいけ！」と小石を投げられたりしたことがあるが、今考えればずいぶん昔の感覚で、現在の日本ではなかなか体験できない種類の差別だ。

私の経験ではバブル期前後以降、日々の暮らしや仕事で知り合った日本人から現在の韓国で時々感じるような差別は受けたことがない。日々の喜怒哀楽の中で、一般的な人間関係の範囲で生活してきたし、時には日本人の中に混ざって活動したり、日本人に助けてもらったりしてきた。もちろん、当時職業や社会的立場で不利があったという人はいるだろうが、それもまた、考え方によっては、社会の中でうまくすみ分けや協力体制、配分ができていた。

むしろ、私も韓国で生まれ育った普通の韓国人に言いたい。朝鮮学校に入れられたり、お金や能力があっても海外に出られなかったり、留学のチャンスもなかった在日が、そんなにうらやましいのかと。また、現在の日本社会で日本人に向かって「差別されている！」と叫んでいる在日にも言いたい。ならば、韓国に帰ればいい。そして、韓国で本物の差別を経験したら「それは差別だ！」ときちんと抗議してもらいたい。日本では抗議するのに韓国では黙っているのではダブルスタンダードで、それは日本への差別なのだと認識すべきだ。

韓国で差別を受けている私は、いま生まれ育った日本への思いや感謝の念が強くなるばかりだ。

最近、それを再確認した出来事があった。

日本大使館で、在日である自分の立場（日本での特別永住権を持っている韓国国籍者で、韓国在住）を確認した際だ。私はある大使館員に、

「万が一、韓国と北朝鮮の間で有事が起こった際、私たち在日も、日本人同様に引き上げさせてもらえるんですか？」

と質問した。

するとその人は、「もちろんです！　ご心配なさらずに」と即答したのだった。

本当にそうなるかは確かめるすべもないし、もしかしたらリップサービスだったのかもしれない。

それでも私は心の底からうれしかった。自分には韓国以外に帰れる場所がある。年甲斐もなく涙目になりそうだった。

もちろん日本人も差別される

在日だけでなく、一般に韓国社会では、異質な人たちに対する差別が日本よりはるかに強いと感じる。

特に、ジェンダーに関する差別、そしてＬＧＢＴへの冷たい視線は、日本とは比較にならない。私にも日本でＬＧＢＴの友人が少なくないが、もしも韓国社会でそのことが知られれば、友人がいると言うだけで私に対しても嫌な顔をされることは確実だ。

だが、差別の対象はもっと広い。最近で言えば、中国人、中国からやってきた朝鮮族、脱北者など、あるいは韓国人でも貧しい人、学歴のない人など、「普通の韓国人」ではないとほぼ差別の対象である。

もしかすると、日本人自身も含まれるのかもしれない。

こんな話がある。コロナ禍のまっただ中、よく知っている日本人厨房機器エンジニアに、韓国企業の求めで韓国に出張してもらった時のこと。当時はまだ2週間の隔離が必要で、空港からようやく解放されても、国内に住所のない外国人はひとまず韓国政府の指定したホテルで隔離生活を送らなければならない。

彼が誘導されたバスの車内は欧米系と思われる外国人ばかり。空港周辺をしばらく走って、なかなか立派なホテルに入っていった。隔離のための費用は当人側の負担だが、それでも4つ星程度に見える高級ホテルなら費用対効果は悪くないと、彼は心の中でひそかに喜んでいたという。

ところが、欧米系の外国人と一緒にバスを降りると、「あんたはここじゃない、バスに戻れ」と言われてしまった。何かの手違いだったようで、結局ソウルの都心から1時間以上も離れたところにある、あまりに貧相なホテルに連れてこられた。そこにいるのはアジア系の外国人ばかりだったという。

日本人はランクを下げられていた……と見ることもできるのではないか？

余談だが、彼は当初私に特に援助は必要ないと言っていた。しかし供される弁当のレベルの低さと、あまりの退屈さに音を上げてSOSを送ってきた。そこで往復2時間以上かけてソウルから何度か差し入れの食事を持ち込み、ネットフリックスなど各種OTTの共同試聴用IDを教えてどうにか耐えてもらった。韓国政府に代わって私がお世話をしなければならないと感じたからだ。そして韓国で1週間メンテナンスの仕事をし、また日本に帰って2週間隔離されたのだから、当時は本当に大変だった。

より露骨に差別されているのは、北朝鮮のさらに北側にある中国・朝鮮族自治区出身の、朝鮮族の人たちだ。

彼らを韓国人が差別する理由はわかりやすい。朝鮮族のほとんどは、中国で十分な教育を受けていないため、単純労働しかできないからだ。韓国の安い海苔巻き屋のような食堂の厨房で働いているのはたいてい朝鮮族のおばさんだ。ホールを担当させてもレジの操作や計算すら満足にできないことがあるからだ。

朝鮮族だから密航しているわけでもないし、韓国語（朝鮮語）も話せ、意思の疎通には問題がない。しかし、このように教育を受けていない同胞を、韓国人は鼻で笑い、時にはあからさまに差別するのだ。

苦しい脱北者も差別する

日本の読者は恐らくほとんど知らないだろうが、韓国では脱北者も厳しい差別を受けている。せっかく命をかけ、大変な思いをして韓国にやってきたのに、韓国社会になじめず、あるいは適切なつながりを持てないまま孤立し、時には悲惨な最期を迎えてしまうケースもある。

私はまず、「祖国統一」が最優先だ、南北対話が先だ、統一こそ平和につながる民族の悲願だと息巻いている韓国人（左派に典型的）に聞いてみたい。韓国人は在日どころか、脱北者すら差別し、放置しているくせに、祖国統一などできると本気で思っているのだろうか？　もしも本当に統一したら、手のひらを返して北出身者をあからさまに差別するに決まっていると思うのだが。

私がそう確信する理由は、現在の韓国社会で脱北者たちが置かれている現状をよく見ているからだ。

脱北して韓国にやってきた人は、そもそも憲法上は「韓国人」である。当然ながら差別などあってはならない。では、実際問題として脱北者はどのような過程を経て韓国社会に順応していくのだろうか。

私が共同経営している会社に原稿を送ってくださる郭文完《クワクムンワン》氏（北朝鮮の芸術大学の映画演出科を卒業、軍、貿易会社を経て脱北）の情報がとても参考になる。郭さんは脱北後脚本家として活動し、日本でも非常に有名なドラマ「愛の不時着」の補助作家を務め、リアルな北朝鮮国内の描写をバックアップしたことでも知られている。

同氏が「現代ビジネス」（2022年12月21日）に寄稿した記事を抜粋して、韓国にやってきた脱北者への支援の流れを見てみる。

・韓国での脱北者に対する正式名称は、「北朝鮮離脱住民」という。
・法的には韓国国民であり、韓国内の脱北者に対する支援制度や監視制度も、「北朝鮮離脱住民の保護および定着支援に関する法律」に基づいている。
・まず、韓国政府の調査機関で3カ月間の調査過程を過ごす。
・食事と衣料、ユニフォーム、シューズ、おやつ、医療治療など、すべての経費を韓国政府が負担する。
・調査終了後は、韓国政府の担当者がデパートに連れて行き、下着から洋服、背広に至るまで、100万ウォン（約10万円）相当の品々を、義務として全員に購入して与える。
・その後定着教育機関である「ハナ院《ウォン》」に移され、さらに3カ月間の定着教育を受ける。そこでの生活費用、教育費用も、韓国政府が全額負担する。
・「ハナ院」では、脱北者1人当たり月に5万ウォン（約5000円）が支給される。このお金は、「ハナ院」にあるコンビニで、各自、好みのおやつや、生活用品を買う用途に使われる。

・「ハナ院」では、韓国社会に出て行く際に守らなければならない生活法規や、医療制度などを学び、コンピュータ、英語、漢字、心理相談、現場訪問や実習など、数々の教育プログラムを受ける。さらに、運転免許証やパワーショベル資格証のような、多様な国家技術資格証を取得するための教育過程と資格試験も行われる。これらの費用も、韓国政府が全額負担する。

一見政府が全ての面倒を手厚く見てくれるようにも見えるが、つまり準備のための期間は、3＋3＝6カ月しかないということだ。その後は原則として一般の韓国人と同様、資本主義の競争社会に入って生きていかなければならない。

もっとも、住まいと当面の資金はさらに提供される。韓国ではマンション（アパート）を買い求めるのが一苦労だと述べたが、一応脱北者には優先して賃貸アパートの抽選に当選できるよう便宜がはかられる。ただし、人気のソウル首都圏に行けるケースは少なく、抽選で当たったアパートのある地域に住むことになる。

またこの際、1人世帯ならば800万ウォン（約80万円）の生活支援金、そして1600万ウォン（同160万円）の家賃の元となるお金が支給される。これも大金に見えるかもしれないが、この時点で脱北者は家電製品ひとつ持っていない状態だし、韓国は賃貸の際日本よりも相対的に高額な保証金が必要となるため、この中から自由に使えるお金はあまりないと見ていい。

これ以降は、就職することが前提の支援となる。政府から保護される期間は5年間。その間6カ月以上同じ会社に勤務した場合、就職奨励金が支給される。これは期間が長くなると支給額が高くなる。ただ反対に、就職しなければ支援はない。

手に職がなく就職が困難な場合は、職業訓練奨励金や資格取得奨励金を支給している。これも、職業訓練を受けることが前提だ。

私が出会った「脱北者」

朝鮮総連の家系で育ち、朝鮮学校に通った私にとって、「脱北者」は非常に気になる存在である。特に韓国にやってきてから、脱北者の方々と知り合うことが増えた。そこで初めて得た知識もあるし、自分が子どもの頃からたたき込まれてきた朝鮮学校の教育にどんな意味や背景があったのかを、まるで答え合わせでもするかのように納得できたことも多い。これについては、第4章で紹介することにしたい。

ここではまず、私もなかなか想像できなかった脱北者の暮らしを、いくつか紹介しよう。

韓国にやってきて、社会に入って間もない脱北者の感覚は、私が抱く「違和感」や、朝鮮族の受ける差別ともまた違う。

脱北者は、3年、人によっては5年も、韓国社会で目立たないように、息を殺して暮らすのだ。

世襲の全体主義国家を抜け出し、せっかく自由な韓国にやってきたはずなのになぜ？と思うだろう。しかし実際は、韓国のどこに北朝鮮や北朝鮮を支持する従北市民団体、日本から送り込まれている朝鮮総連関係者、そして左派系の政治家や政治勢力の目が光っているか分からない。一歩家の外に出れば、「自分が脱北者であることがバレてつかまり、北に送り返されてしまうのではないか」という恐怖からなかなか解放されないのだ。

この感覚は、私にも理解できる。「そういう教育」しか受けておらず、「そういう社会」でしか生きてこなかったのでは、簡単に、まして短い期間で意識は変わらない。頭では理解できても体や感覚が勝手に反応してしまうのだ。

ちなみに、根拠もある。慰安婦問題での活動で日本でもよく知られている正義連（日本軍性奴隷制問題解決のための正義記憶連帯）は、所有している施設で、脱北してきた元北朝鮮レストランの従業員たちに北朝鮮への帰国を勧めていたことが発覚している。なお北朝鮮政府は、彼らが韓国政府の手引きによって韓国に行ったと主張している。この施設には募金の横領、補助金の不正受給などの罪で起訴されている国会議員・尹美香《ユンミヒャン》氏（元正義連代表）の夫、金三石《サムソク》氏がいたとされている。夫の金氏とその妹の金銀周《ウンジュ》氏は、北朝鮮のスパイ容疑（スパイとして工作資金を受け取った容疑）でいったん有罪になったが、文在寅政権下で再審を要求し、スパイ容疑に関しては無罪になっている。

こんなニュースを見れば、脱北者の感じる恐怖感も少し理解できるのではないか。脱北者を監視する仕組みは、現実的にあり得るのだ。

韓国では、脱北者が住んでいる地域を管轄する警察が管理を担当している。とはいえ、1人の刑事が20〜40人を担当しているケースもあり、管理というよりは「放置」と言ってもいいくらいなのだという。

しかし、思い出したように訪ねてきたり、SNSなどで様子を聞いてきたりする「熱心な」刑事に対して、脱北者は硬直する。

刑事に悪気があるわけではない。変わったことはないか、仕事や生活はできているか、たまには顔を見て食事でもしようか、キムチは足りているか――そんな、韓国社会ではありふれた人間的アプローチをされると、脱北者たちは気が気ではなくなる。

北の社会では、保安員（＝刑事）といえば人民を監視し、容疑があれば容赦なく引っ張っていく恐るべき存在だからだ。本能的に、できるだけ避けようとしてしまう。一方で韓国の担当刑事は公務員だから、人事異動でひんぱんに入れ替わる。そのうちに、人の縁が切れてしまうこともあるそうだ。

反面、脱北者が被害者となるような事件が起きると、脱北者は即座に担当刑事に連絡を取り、全てを訴えて解決してくれるよう必死になって強弁する。北の社会では、保安員の一存で行使できる権限が大きいからだ。もっとも韓国ではそうはいかないのだが。

こうしたすれ違いが、長ければ数年は続く。韓国社会では警察官がそういう存在ではないと体で分かるまで、北で学び、経験してきたことのアクが抜けきるまでには、長い時間がかかるわけだ。

北朝鮮の生活に耐えられず、死ぬ思いで脱北してきた人たちだが、実際に韓国に来てからも、別の苦労があるわけだ。

脱北者の母子が餓死した韓国

そんな脱北者たちをさらに追い込んだのが、文在寅政権（2017-22）である。2017年、朴槿恵《パククネ》大統領の弾劾、罷免を経て就任した文在寅前大統領は、「人権弁護士」出身であり、当然人権に厳しく、弱者には優しい政治家だと思われていた。あるいは、今もそう思っている人も少なくないかもしれない。

しかし、脱北者から見る限り、彼は決して弱者の味方ではなかった。

2019年、文政権下で、初めて脱北者が餓死するという事態が起きた。高層マンションの部屋で餓死していた脱北者の母子は、死後2カ月もたってようやく発見された。

その背景が報じられるうち、浮かび上がったのは政府による支援体制の不備だった。紆余曲折を経てシングルマザーになっていた母親は、病気の子どもを看病するために働けず、家賃や光熱費も支払えない状況だったのに、行政側は異変を発見できなかった。そして、先ほど紹介した支援制度の期間はすでに過ぎていて、残されていたのは生活保護に相当する基礎生活保障だけだったが、仕組みを知らなかったのか申請はしていなかった。

そこに、文政権の姿勢が重なった。文政権の対北政策は、融和優先、対話優先だ。それだけを見れば平和的でいいではないかと思う人もいるかもしれない。しかし実際は、北朝鮮側を刺激するような施策を控えるようになり、脱北者を支援する予算、北朝鮮に批判的な脱北者支援団体への予算も絞られていった。

まして、国会議員になった人の関係者や関係団体が、北に「韓国国民である脱北者」を送り返そうとしている（前述した正義連の件）。これは要するに、脱北者を危険な目に遭わせてでも南北融和を優先しようとしているに等しい。

人権弁護士の一面は、北朝鮮のためなら、彼らの「大義」のためなら、同じ国民である脱北者が餓死する韓国を容認する姿なのだ。どうしてこんな人が大統領になってしまったのだろう。

文在寅政権は「左派学生運動」の集大成だった

私が韓国とのビジネスに関わり始めたのは李明博《イミョンバク》政権から朴槿惠《パククネ》政権に差しかかった

頃だった。

私が感じる韓国人や韓国社会に共通する「違和感」は今も昔もあまり変わらない。しかし、韓国国内を政治や思想、属性で分断し、日本人に強い悪意を向けさせ、一方で日本人の反韓感情を刺激し、日韓関係も米韓関係もめちゃくちゃにした文在寅政権は、やはり長く韓国の歴史、日韓関係の歴史に記憶されるのではないかと思う。

冒頭で述べたように、私は文在寅政権のせいで（と言わせて欲しい）、それまで順調に進めていた仕事をめちゃくちゃにされ、大きな額の「被害」を被った。それだけでも、一人の社会人として文在寅やその支持者に言いたいことが山ほどある。

ただ、今こうして冷静になって振り返ると、ここ10年ほどの韓国は、大きく変化してしまったことに気づく。

文在寅政権が誕生する前の２０１６年秋以降、公務員ではない親友を国政に不当に関わらせていたなどとする「崔順実《チェスンシル》ゲート事件」によって、朴槿惠政権を引きずり下ろそうとする「ローソク集会（ローソクデモ）」が、毎週土曜に全国で開かれていた。その頃から、韓国は大きく変わっていったのではないか。

この「違和感」を私なりの表現で言うと、韓国という国、社会が、まるで大きな「朝鮮学校」になってしまったような雰囲気だった。

「ローソク集会」は、文在寅政権やその支持者に言わせれば「ローソク革命」であり、文政権はその革命によって生まれた政権だと彼らはいうが、在日の視線から見ると少し感覚が異なる。

文在寅氏の「師匠」に当たる盧武鉉《ノムヒョン》元大統領（人権弁護士の先輩・後輩の関係であり、文前大統領は盧武鉉政権の最側近）は、北朝鮮との関係において朝鮮総連を通していたのに対し、「弟子」に当たる文政権ではそうしたルートを使わず、直接北と交渉をしてさんざんすり寄った揚げ句、最後は北側から罵詈雑言を浴びる状況になってしまった。これは、朝鮮総連側がこの間に大きく弱体化してしまい、頼れない存在になってしまったことも大きい。

結果、「革命政権」を自称する文在寅政権の本心がどうだったのかは別として、南北間の対話は失敗に終わったわけだ。

このやり方でなぜ失敗したかというと、北朝鮮との対話がうまくできる思考自体ができなかったからだ。文在寅政権を構成していた主な人たちは、韓国で「586世代」と呼ばれる現在50代で、80年代の学生運動を担い、60年代生まれで韓国の民主化に貢献したと自負している世代だ。彼らは勝手に北朝鮮を自分たちのイメージで再解釈し、自分たちの方法論で南北関係を強引に打開しようとした。日本人や文在寅政権に反対する人たちには、彼らの姿は「北に安易に近づき日米から離れていく危険な行動」に映っただろうが、実際は北朝鮮にしてみても「勝手な理屈を振り回す連中」に見えた。それでも北にとって都合よく使えている間は良かったが、結果としてベトナム・ハノイでの米朝首脳会談（2019年2月）が全くの失敗に終わり、文政権自体の怪しさが一気にバレてしまったわけだ。

私は文政権を支持しないが、それでももしこの時点で朝鮮総連が機能していて、文政権側にも総連を使うつもりがあったならば、南北関係はまた違った展開があったのかもしれない。

韓国の教育はまるで「朝鮮学校」

結果として、文在寅政権の後半は、南北関係で何も成果が上がらなかったどころか、南北経済協力の象徴だった開城《ケソン》工業団地の南北共同連絡事務所（韓国側資金で建設）を大々的に爆破されてしまい、まさに木っ端みじん、何も残らなかった。むしろ文政権の後半はコロナの対応で状況が一変してしまったので、うまくごまかせたのかもしれないが。

結局、南北だけでなく、日韓も米韓もさんざん振り回したあげく何の成果もなく、文在寅政権が招いたのは、韓国社会の分断、政治化、経済や国民生活そっちのけの「思想戦争」だった。

韓国社会の分断は、私が韓国にやってきた12年前よりももっとひどくなっている。もう、ほとほと失望している。

韓国社会の分断が加速した理由は「ローソク集会」に代表されるように、左派による一般国民へのマインドコントロールだ。

私も当時デモの様子を現場に出向いてひんぱんに観察していたが、「朴槿恵は下野しろ」「朴槿恵を拘束しろ」と叫んでいた一般市民や若い人たちの姿が、第4章で詳しく述べる、朝鮮学校のデモに動員されていたかつての私や同級生たちとダブって見えた。深い意味も知らず、むしろ何も考えず、指示されるまま、言われるままに行動する——それでも、大勢でデモにワイワイ参加していると、何だかディズニーランドやUSJにでも遊びに来ているような感覚になるのだろう。「ローソク集会」の最盛期はそのくらい大規模なものだった。

デモとは言っても広場に大きなステージが組まれ、韓国で少し名の知れたパーソナリティーやDJ、音楽バンドなどがトークしたり演奏したりする。合間でスローガンを叫ぶ。ローソクだけでなく飲食物を売る屋台も集まってきて（人が多いのだからいい商売になる）、デモというよりはお祭りに近い状況だった。参加者の中には、普段デモには縁がなさそうな家族連れや若者グループの姿もよく見られた。

だが、その雰囲気を作っている側の主催者、市民団体は、意図してそうしていたと見るべきだ。

私の住む江南の地下鉄駅では、動員され、デモに参加する直前の人たちが、団体側幹部と思われる人物から現金の入っているらしい封筒を配られている様子を見たこともある。こうやってデモを「運用」し、盛り上げ役を送り込んでいるのだとわかった。

私は、デモに参加していた見知らぬ一般の人とよく雑談もした。なぜデモに参加しているのか質問すると、「朴槿惠は悪いやつだから」「今ここに来て参加することが民主主義だから」などという、市民団体の受け売りかつ浅い話をしている人が多かった。反対に言えば、主催者側のあおりは見事に成功し、深く考えない一般市民にシンプルなスローガンを植え付けられたことになる。

ここでも私には、朝鮮学校時代「先生が言っているとおりだ」「私よりも偉い人が言うことに間違いがあるはずはない」と信じていた幼い頃の自分の記憶がクロスオーバーした。韓国の教育現場には左派を支持する教員が多い。私の時代と違い、今の子どもたちはネットで世の中を知ることもでき、海外にも自由に行き来できるはずなのだが、それでも条件が整ってしまえば、あっという間に自分の考えをコントロールされてしまう。

日本でも有名になった話だが、ソウルのある高校で、左派を支持する教員によって生徒に政治活動のようなスローガンを叫ばせ、「反日」を強要する事件が起きた。その中から勇気ある生徒が抗議の声を上げた。

しかし教員は成績評価を握っている「権力者」である。盾突けば、大学進学で不利になる。そこで多くの生徒は「世の中そんなものだ」と考え、先生の教える従北・反日思想を受け入れる。その場ではそのままでも、大人になっていざ南北や日韓の間に大きな問題が起きれば、あっという間にかつて頭の中に植え付けられた「従北・反日」の思考回路の種が、再び芽を伸ばしてくるかもしれない。これが、教育の恐ろしさだ。

ローソク集会の日々から7年の月日が流れた。文在寅政権に対する厳しい評価がわずかにまさり、再び保守に政権交代した今、当時デモに参加していた無邪気な一般市民のうち、どのくらいが現在も同じ考えを持っているかは分からない。

ただ私は、このような文章を書いている今でさえ、朝鮮学校で受けた主体《チュチェ》思想の教育、反米教育から完全に抜け出しているのか、自分自身で疑ってみることがある。主体思想など全く信じていないにもかかわらずだ。

私はいまだにアメリカに旅行することには抵抗や恐怖感、不安感がある。ハワイですら無理だったので、もう半ばあきらめている。そして、気候が暖かくなり4月15日の「太陽節」（故・金日成《キムイルソン》主席の誕生日）が近づくと、頭の中で自動的に「金日成将軍の歌」が再生されてしまう。

同じようなことが、韓国の教育やデモの現場でも行われていると感じる。つまり、たとえ政権は再び保守に戻ったとしても、ことわざで言う「三つ子の魂百まで」のように、子どもの頃から首まで浸かった考え方から抜け出すのは簡単ではない。分断は定着、常態化する危険があるということだ。

政治の分裂で起きる深刻なデメリット

私が韓国で生活するようになったこの12年あまり、政府も国民も「韓国は今や先進国だ」

と誇らしげに話す機会が多くなった。

数字や条件を見ればその通りなのかもしれないが、日本で生まれ育った私には、少なくとも「国民のマインド」とでも言うべき部分で、韓国はまったく日本に追いついていないと感じるし、先進国の水準に至っているとは思えない。

ここで私が言う「国民のマインド」とは、さまざまな考え方や属性を持っている人が集まって暮らしている国、あるいは社会において、お互いができるだけストレスを少なくしながら、自分らしく生きていくための常識や道徳のようなものだ。この部分において、韓国社会は日本よりも20年、いや30年は遅れていると痛感する。

韓国人はよく「論理的ではなく、すぐ感情的になる人が多い」と評される。その理由を私なりに考えると、自分の考え方や属性から外れている相手を受容できる余地が少ないばかりでなく、自分と異なる人を攻撃したり、マウントを取ろうとしたりして、勝ち負けだけが重要だと考えているからではないか。良いところを補完し合うとか、お互いの長所を活かすといった発想になりにくい。

これが、経歴や容姿、経済力などの比較だけでなく、政治的な考えにも入り込んでくるわけだ。自分と政治的な立場が違う相手とは議論が成り立たず、ただ罵り合うばかりになってしまっている。日本のように、一歩引いて考える、相手の立場に一度なってみる、といったような感覚は少ない。

その代わり、政治性向の似ている相手とは延々政治の話ばかりするのが好きで、反対する勢力の悪口で盛り上がるのは、もはや韓国人同士がカフェなどで会話する際の「お約束」だ。他の定番テーマは、金儲けや投資、不動産にまつわる話、そしてよくも悪くも日本に関する話だ。

話を戻そう。朝鮮日報とKSTATリサーチが実施した2023年の新年企画世論調査によれば、韓国国民間の政治的立場の差異、すなわち理念対立が強く、社会が不安あるいは危険な水準にあるという回答は70％近くに達したという。

一方で、韓国国民のおよそ半数は、政治的傾向が違う人との食事や酒の席、本人同士、あるいは子どもの結婚も望まないという。また、保守系支持者であろうと革新系支持者であろうと関係なく、66％の人が「自分と政治的立場が違う人は客観的な根拠を提示しても考えを変えないだろう」と考えている。つまり、もうお互い話が通じないと諦めているわけだ。

もともと「国民のマインド」が低いところに政治を持ち込めば、混乱や分断は火に油を注いだような状態になるということだ。こうして、社会問題や経済成長、国民の生活を心配する冷静、理性的な声よりも、政治の対立、あるいは異なる政治勢力とその支持者同士のつかみ合いに終始してしまう。

２０２２年の大統領選挙で保守の尹錫悦《ユンソンニョル》政権が誕生した。しかし国会は政権与党の「国民の力」ではなく、「共に民主党」を中心とした野党勢力が６割（韓国国会は議席の６割が運営上重要なライン）を占めているため、新しい政権になっても従北左派の野党系が幅を利かせている。

同時に、お互い次回の国会議員選挙（２０２４年４月予定）で敗退するわけにはいかないので、より過激な対立が生まれやすくなっている。なかなか道理が通らない状態は続くだろう。

おかしな話だが、私にとっては「在日」で参政権のなかった日本在住時代のほうが、よほど政治的には安定して暮らしていたように感じる。ひとつ、心から思うのは、韓国も日本同様銃規制が厳しい社会だったのは本当に幸いだ。もしも韓国がアメリカのような状況なら、頭にきた人が相手に銃をぶっ放す事件が頻発しても全く不思議ではない。しかも韓国の男性は基本的に兵役を経ているため、誰でも銃を扱った経験があるのだ。

いっそデモを観光資源にしたら？

私からひとつ韓国社会に提案したいのは、むしろ政治デモを「韓国らしい」観光資源にして、観光客にアピールしてみてはどうか？　というポイントだ。「K－POP」や「K－コンテンツ」の流れで、「K－デモ」とでも名前を付けたらいい。

ふざけているつもりはない。何か論争が起こるたびにすぐにデモが発生するのが韓国社会だ。数人～数十人規模の小さなデモから、それこそ数十万規模と言われた「ローソク集会」に至るまで、訴え方や盛り上げ方、場の雰囲気、またデモに参加する人の顔や、そのデモを遠巻きに見ている人たちの視線の違いなどが、社会科見学、異文化体験、学びの対象になる。

尹政権になる前は、デモと言えば土曜日の光化門《カンファムン》広場が定番だったが、広場が整備されデモがしにくい空間になったこと、そして尹政権が青瓦台《チョンワデ》を出て龍山《ヨンサン》の国防部の建物を改装した大統領室に入ったこともあり、最近は最寄りの地下鉄三角地《サムガクチ》駅周辺が、新しいデモの「聖地」となりつつある。

なお、本当にデモを見学したいという人には便利な方法もある。一般的に韓国（特にソウル）での大規模なデモは、全国から動員をかける関係上、土曜日に行われることが多い。複数の参加者がデモ目的で集会を行うには所轄の警察に場所（行進の場合は通過コース）や時間帯、参加人数のメドなどを届け出なければならないが、ソウルの場合、ソウル警察庁の「今日の集会／示威（デモのこと）」というページでデモの申告状況を毎日公開しているので、ハングルが理解できる人は参考にするといいだろう。よほどの場合でもない限りデモを見学すること自体に危険はないと思うが、もちろん自己責任で「観察」してほしい。

ここでは、最近の韓国社会で注目された2つのデモ・ストを紹介したい。

まずは、車椅子の身体障害者団体による地下鉄運行妨害のデモだ。

理由を聞けば、デモをするのももっともだと感じるかもしれない。韓国の公共交通もかなり改善されてはきたが、日本に比べれば障害者向けのインフラはまだまだで、予算も少ないという。そうしたなかで、車椅子の利用者が事故に遭ったり、健常者のように自由に乗車できなかったりすることもある。日本では電車やバスなどで係員がていねいに障害者を誘導している様子をよく見るが、それは韓国人にとっては驚きの光景のようだ。また、韓国では障害者に対する差別感情も強い。

では、今行われている障害者のデモは、多くの韓国人から支持され同情を受けているかというと、全く反対である。

最近盛んに地下鉄でデモを繰り広げているのは「全国障害者差別撤廃連帯」(全障連)という団体で、強硬・過激な活動で知られる左派系の団体だ。

その方法には違法な点も多い。例えば、尹政権が障害者支援の予算を減らしたなどとして、大統領室の最寄り駅、三角地駅などで行っている「搭乗デモ」は、人の多い通勤時間帯を狙って車椅子でわざとゆっくり乗り降りしたり、時には駅員や警察などの制止を聞かず、車両のドアやホームドアの間で止まったり、寝そべったりして、地下鉄の運行そのものを止めるという手法だ。いっそう障害者に対する視線が厳しくなるなどとして、このデモを支持しない障害者も多い。別の障害者団体に阻止されたりもしている。

また、同団体はこれまで与党「国民の力」の李俊錫《イジュンソク》前代表や、呉世勲《オセフン》ソウル市長などと交渉の場を持ったこともあるが、理想論ばかりで話がかみ合わず、妥結する見込みはないというより、妥結するつもりなどは最初からないと思われる。デモをすること自体が目的で、その動きは障害者の権利獲得、確保の名を借りた進歩団体の政権批判であり、利権の確保目的だからである。

韓国における労働組合の二大ナショナルセンターのひとつ、全国民主労働組合総連盟（民主労総）傘下の貨物連帯本部（貨物連帯）によるデモも大きな問題となった。これは、個人で運送を請け負っている人たちの団体で、労働法の取り決めで守られにくいドライバーを保護する、という名分だが、上部団体が民主労総であることでも分かるとおり、過激で攻撃的、それも自分たちとは行動を別にする非組合員の車両を妨害するだけでなく、破壊したり暴力を振るったりもする。2021年にはパンのチェーン店「パリバゲット」を運営するSPCグループへのストに介入して非組合員の車のカギを盗んだり、非組合員に暴行を働いたりした。結果、要求を飲ませることに成功したという。

2022年には、日本でも有名な韓国焼酎「ジンロ」や「チャミスル」、そして「ハイト」や「テラ」などのビールを製造しているハイト真露《ジンロ》の工場で、運賃引き上げを要求するストを行い、出荷を妨害し、警察官を暴行し、工場や本社を占拠した事件を起こした。警察が説得したが、組合側の活動家はシンナーを見せつけ「重大な覚悟がある」と脅迫じみた返事をしていたという。また、江南の主要道路に面している真露本社前の道路をトラック数台でふさいだ。交通は大混乱した。

こうした「メジャー」な活動だけでなく、ソウルだけでも年中デモやストは「見学」できる。ある意味韓国らしい日常と言える。

ただ、保守政権に変わったこと、あまりに強引かつ身勝手で無関係な市民にも大きな迷惑をかけていること、そしてデモやストそのものの持つ、本来の目的を逸脱した、あるいは本来の目的を隠した怪しさは、だんだん韓国の一般市民にも知られ始めてきた。

左派や労組の声ばかり目立つ理由

現在の韓国では左派の声が非常に目立っている。政党支持率や政権支持率を見る限りでは支持層は半々と考えるのが妥当だし、しかもその支持率が示すほど、熱狂的に左派を支持している人が多いわけではない。「何となく信頼できそうだから」程度の理由で「支持する」と答えている人もいるわけで、実際大声を上げて訴えている左派の割合はそこまで多くないというのが実感だ。一応韓国人にも、政治的分断が激しい中では政治的な話を避け、関わらないほうが穏やかに生きていけることを知っている、いわば「言わぬが花」の層が一定数は存在するわけだ。

彼らは面倒に巻き込まれないように、政権を取っている側、勢力が強い側に抵抗しようともしない。ちょうど左派が「NO　JAPAN」の大合唱をしていた頃には、ユニクロの店頭に行くのをしぶしぶ控えて通販を利用し、日本のビールを飲まないようにし、日本旅行にはこっそり行ってSNSには上げないように注意していたような層だ。彼らは「NO　JAPAN」が怪しいこと、あるいはそこまでしなくてもいいのではないか、個人の自由なのではないかということは分かっていても、嵐の際には注意深く身を隠す。今後韓国がよりよい社会になっていくには、こうした「もの言わぬ常識人たち」の声がどうやって全体に反映されていくか、がポイントになるだろう。

反対に、もうこれ以上ないというほど左派の声が強いのには、背景に理由がある。

その前に、韓国には右派の市民団体ももちろん存在しているし、デモも行っている。左派団体に反対する行動もしている。この典型はまさに日本大使館前の「少女像」を巡るデモなのだが、これは日韓関係や反日への「違和感」を考える第3章でまとめよう。

また、市民団体が全て問題なのではない。私が驚いたのは、韓国には、現在日本に定住している脱北者（数百人程度いると言われている）を支援する団体があったことだ。この団体は「北送在日同胞協会」といい、日本出身者で脱北し、韓国にいる人たちが在日脱北者を支援しつつ、帰国事業を行った朝鮮総連や、支援した日本政府への批判なども行っている。また、公的支援がほとんどない中で、地道に在日脱北者の生活支援なども行っている。私は自分自身、こうした情報には詳しいつもりでいたのだが、日本にいる頃にはまったく知らなかった。

しかし、こうした活動よりも左派市民団体や労組ばかりがやけに目立つのは、マスコミの影響が大きい。

韓国でニュースを見ていると、現在もメディアは基本的に左派の活動しか取り上げないと考えていい。

もっとも保守系メディアも存在するので全てではないが、それでも特に日本に関する問題では、前提条件が「日本が悪い」から始まっているので、どうにもならない。「不法な植民地統治」『日帝強占期』『戦犯企業』『強制連行』『旭日旗は『戦犯旗』でハーケンクロイツと同じ』『謝罪しない、反省しない日本』『再び軍事大国になって朝鮮半島に攻めてくる夢を見ている』『誤った歴史認識、学ばない日本人』……これらはニュースを伝える以前に韓国では「常識」にされてしまっている。要するに最初から間違った常識に支配されてしまっているし、その間違いを疑ったり、検証したりしようということ自体が起こり得ないわけだ。本来何事にも中立であるべきで、多角的な検証に努めなければならないはずのメディアだが、日本が相手になるとスタート時点から偏向してしまっている。もっとも、最近はこうした韓国での「常識」を疑う人もいないわけではないが、まさか日本を擁護するようなことを口にすれば集中砲火を浴びるし、まして「NO　JAPAN」の旋風の最中では「日本に行ってきた」「日本食が美味しかった」「日本メーカーのものを買ったが日本製はいい」などと口にしただけでSNSが炎上する。

加えて、メディアが基本的に左派の声ばかり伝えるのは、メディアで働く人たち自体の多くが左派だからだ。

メディアも企業なので、幹部や経営陣は50代あたり、そして現場を取り仕切っているのは40代である。彼らは前に述べた「586世代」そのもの、あるいはそのフォロワーである後輩たちなので、世代の面からマスコミは左派が多い。

同時に、特にテレビの労働組合の構成を見てもわかる。影響力の強いテレビでは、公共放送のKBSやMBCをはじめ、民主労総傘下の組合、言論労組の組合員が多数派の局が多い。

現在の尹政権とMBCの対立が表面化したことでも分かる通り、日々のニュースを伝える中で、こうしたメディアが意識的にせよ無意識的にせよ印象操作していることは疑う余地がない。

毎日見ているニュースが、見ている方も分からないうちに左派の意見を有利に伝えているとなると、特に意識せずに毎日見ている視聴者もだんだん慣れてきて、そんなものかと考えるようになる。その結果が、なんとなく左派を支持している一般の韓国人の背景にあるのではないか。

そんな普通の韓国人の様子は、朝鮮学校出身者の私には気の毒に見えてしまう。社会や政治（在日朝鮮人にとっては総連のあり方や学校の教育内容）には口を閉ざし、表向きは長いものに巻かれるように従順な振りをしている。

しかし、多くの朝鮮学校生徒がそうだったように、間違っているのではないかと考え始めても声を上げることができず、黙っているしかないことへのストレスは相当なものがある。結果、一人で悩みを抱え、誰にも相談できぬまま、悶々とした日々を過ごす。

むしろこれについては朝鮮学校生徒のほうが一般の韓国人よりも恵まれているかもしれない。どうしても朝鮮学校が耐えられないなら、私のようにとにかく卒業まで我慢するか、転校して日本社会に出て行ってしまえばいいからだ。そこには、ずっと常識のある大きな世界が開けている。

しかし、一般の韓国人が韓国社会を抜け出すのは当然簡単ではない。移民でもしないかぎり、彼らが自ら声を出せる社会を、彼ら自身の手で長い時間をかけ作っていくしかないわけだ。

市民団体天国……結局は「利権」だった

幅を利かせている韓国の左派だが、日本では、あくまで政治的対立の構図として報じられることが多い。もちろん本来はその通りである。

しかし、私の見る限りそれは「建前」だ。

左派を支持しているコアな層の本当の動機は、「利権」にあずかりたいからだ。補助金目当て、要するにお金目的である。

反対に、右派市民団体はここしばらく補助を受けられない時代が続いた。朴槿恵政権までは出ていた補助金は打ち切られたり絞られたりして、活動自体ができないところまで追い込まれてしまった。前にも述べたように、脱北者の支援団体は保守系が多い。

反対に、文在寅政権になって左派系団体には補助金がばらまかれ、大いに潤ったようだ。

また、各種政府系団体のポストには支持者や支持団体の関係者が送り込まれた。

この構図も、在日の私たちにはよく見通せるのだ。

文政権で南北関係を改善しようとする動きが明確になった一方で、左派系団体の不正が今になって発覚している。これを北朝鮮側から見れば、文在寅政権の取り巻きたちは、結局北朝鮮や南北関係をだしにして儲けているだけ、商売や補助金獲得のネタにしているだけだと映る。より正確に言えば、本当に北朝鮮を助けるつもりならいろいろなルートを使って援助をしれくれるのが筋なのに、裏で自分らが金儲けに忙しいだけなのだ。文政権の後半、北朝鮮が彼らを罵倒していたのは、そうした理由もあると考えるべきだろう。

私は機会があり、文在寅政権を支持している、とある経営者の集まりに顔を出したことがある。そこで驚かされたのは、彼らがみな開城《ケソン》工団に出資していたことだった。

参考までに経緯を振り返っておくと、開城工団では2004年に生産が始まったが、朴槿惠政権の2016年、外貨の流出が北の核・ミサイル開発に使われているとして韓国側から操業を中断している。

つまりその経営者たちが文在寅政権を支持していたのは、すでに投資してしまったのに手出しができなくなった開城工団を、南北関係を改善する文政権ならなんとかしてくれると考えていたからである。

しかし結末は、北朝鮮側による南北共同連絡事務所の爆破だった。傑作だったのは、その後同じ経営者たちが「これだったらまだ朴槿恵時代の方がよかった」とため息交じりに愚痴を言い合っていたことだ。

全ては金次第、利権次第なのだ。

ビジネスパーソンの方が、ある意味潔い。市民団体や労働団体は結局のところ、なにか活動のネタになりそうなテーマを見つけたら、それを材料にできるだけ多く、可能な限り長期に補助金を引っ張ることを考える。したがって、活動の対象、支援の対象となる問題の解決、改善は考えない。下手に全て解決されてしまったら、金づるがなくなり、自分たちに補助金が流れてこなくなるからだ。

ここでピンと来た人もいるだろう。そう、反日活動を取り巻く団体の多くも、反日が目的というより、お金が目的なのだ。

「元慰安婦が気の毒だ」、「強制連行は許せない」と言いながら、本当の目的は団体をできるだけ上手に運営してたくさんの補助金を得ること。そのために、自分たちに有利な政治勢力に近寄ったり、支持したりしているだけだと考えるとわかりやすい。正義連や尹美香氏の一派はその典型だ。日本はだしにされているのだ。

尹政権があぶり出す市民団体、労組のインチキ

2023年に入って、韓国の労組や市民団体の一部が、北朝鮮から指令や金銭を受け、韓国国内でスパイ活動を行っていたという容疑で捜索を受けている。

実際そうしたケースは珍しくない。ただ在日の視点で言えば、北朝鮮と朝鮮総連間での活動支援は億（円）単位のスケールなのに対して、報道されている限りでは、北と韓国の市民団体、労組のやり取りはそれよりずいぶん小さく、数百万円単位程度と見られるのが大きな違いだ。

その代わり、朝鮮総連はいったん総連が北からの指示を受け、それを総連側の仕切りでさらに細かく指令しているのに対し、韓国の左派団体を使った工作は、各団体それぞれに北の連絡員が個別接触し、直接指示を与えて、韓国社会を混乱させ、政治に影響力を与えるような活動をさせているようだ。つまりそれだけ韓国国内にはたくさんの北の下部組織がある反面、朝鮮総連のような軸になる本部組織がなく、時として調和が取れずに混乱し

たり、暴徒化したりするリスクもあることになる。

いずれにしても、「ローソク集会」をはじめとするデモや、「民主主義を守れ」「親日保守を打破せよ」などと言っている各種の運動が、いかに北朝鮮の支配下にあるか、改めて確認できた思いがする。

同時に、尹政権下では、現「共に民主党」代表で、前回の大統領選挙で尹錫悦大統領に惜敗した李在明《イジェミョン》氏を巡るさまざまな疑惑をはじめ、いちいちここで取り上げるには数が多すぎるほどの不正が報じられている。中には、革新系を支持する民間企業による北朝鮮への不正送金、公金や補助金の不正使用、贈賄収賄……利権を狙って動く人たちの方が、まだマシにさえ見えてしまう。

尹政権になって少し明るい光が見え始めたのは、先ほど述べた地下鉄でのデモや貨物連帯のデモに対して、決して安易に妥協しなかったこと。そして、保守政権下だからなのかもしれないが、それまで政治的な発言に積極的ではなかった多くの一般国民が、尹政権の姿勢を好意的に受け止めていることだ。

市民団体や労組は、自分たちこそが民主主義だと大声を上げる。しかしその実態は利権であり、背後には北朝鮮もいるようだ。違法行為さえお構いなしの彼らのために、一般市民は早く会社に着きたいのに地下鉄を止められて遅刻の言い訳を強いられ、ジンロの焼酎やビールは品薄になり、直接的な悪影響さえ受けてきた。

本当はそんな世の中に、いい加減うんざりし始めているのではないだろうか。

2022年12月、貨物連帯のデモは、強硬対応の政府に対し、結局組合員の投票によってストを撤回した。つまり、それまではごり押し一辺倒で勝ってきた強硬労組が、尹政権に敗れたのである。この顛末《てんまつ》に対して、尹政権の支持率は堅調だった。実は多くの国民が、こうした動きを待っていて、いい機会だと考えたのではないか。

もしかして、遠くないうちに、私が韓国にやってきて以来の「違和感」がだんだん解消され、韓国社会がいい方向に変わっていくのではないか、という期待もしてみたくなる。

無論、左派も必死だろう。次回の国会議員選挙でもし与党側に6割を握られればいよいよ崩壊してしまう。死に物狂いで、何でもありの活動をしかねない。

第2章

「在日3世」が何度も詐欺られた「韓国ビジネス界への違和感」

東京の大学に「脱出」、朝鮮籍から韓国籍となる

「あの……すみません。うちの社長が飛びました……」

電話をくれた韓国人（「うちの社長」の部下）の声を、今も忘れられない。

多少は韓国社会に「適応」してきた私も、想像すらしていなかった展開だった。そして、私が韓国でだまされて失った金額を大きく更新した瞬間だった。

私は12年前に韓国定住を始め、いろいろと業態を変えながら、今もまだ、韓国でビジネスを営んでいる。その間、あの手この手で4000万円近くをだまし取られ、さらに「NO JAPAN」では1000万円近い収入の機会を失ったのは、ここまで何度か述べたとおりだ。

素朴な疑問として、そこまでひどい目に遭ってまでなぜわざわざ韓国に住み続けているのか、よく質問される。確かに疑問に思う人もいるだろう。ここには、私の個人的な事情

も少なからず関係している。経緯と状況を説明するため、少々個人的な話にもお付き合いいただきたい。

この章では、「在日3世」の私が4000万円もの超高額な「授業料」を払いながら実際に体験した韓国ビジネスの実態、お金を巡るさまざまな韓国の社会事情に対する「違和感」を紹介しながら、私が韓国よりも日本のほうがいい社会だと断言できる理由を一つ一つ述べてみたい。

ここまでお読みいただければ想像もつくだろうが、日本で朝鮮学校に通っていた私は、途中から学校では相当「浮いた存在」になっていたし、私自身も成長に伴って朝鮮学校に対する疑問、違和感、恨みつらみしか持てなくなっていった。

かといって当時、高校まで朝鮮学校に通った子どもの、将来の選択肢はそれほど多くはなかった。朝鮮大学校に進んで総連の幹部や朝鮮学校の先生を目指すなんてあり得なかったし、かといって家業を継ぐのも、資格を取って生きていくことも嫌だった。

私の実家の家業は、会社こそ都市部にあるものの、メインの事業所は地方に存在していた。父は後を継がせるためなのか、幼い頃から盛んに私をその地方に連れて行ったのだが、私は個人的に心の底から都会が好きな人間だ。たまに田舎に行くことさえもあまり好きになれないし、まして田舎で仕事をしたり、住んだりすることには強い拒否感を持っていた。何より、家業も継ぎたくなかった。

父は、私に何か資格を取ることを勧めた。日本企業への就職が今よりもずっと厳しかった時代、いわゆる「士業」で生きている在日は少なくなかった。資格さえあれば、悪くとも在日の社会では仕事に困らないからだ。父は測量士の資格を取れる専門学校を探してきて私に通うように勧めたのだが、その学校では（というより日本のほとんどの学校は）朝鮮学校（高級学校）卒業を高卒資格として認めていないため、入学したいなら大検（現在の高卒認定試験）が必要になる、と言われてしまった。

父は怒っていたが、当時も今も、朝鮮学校は日本の学校教育法上の学校（1条校）ではないため、卒業しても原則として日本の学歴としては認定されない。ところが私が高校2年の終わりごろ、朝鮮学校卒業でも東京の6校の私立大学から始まり、やがて公立10校、私立63校の大学を大検なしで受験できるようになった。国立大学は大検が必要だったが。当初、東京のいくつかの有力私立大学が、朝鮮学校の卒業生に対して、大検なしで受験資格を認める動きを見せ始めた時、私は衝撃を受けた。

つまり、大検の勉強に1年を費やすことなく、私もこのまま受験生になれたのだ。

それまで勉強など何も興味がなかった（もっとも朝鮮学校なので仕方がない部分もある）私だったが、もしも1年後に東京の大学に進学できるのなら、大手を振ってこの耐えがたい環境から抜け出せる自由が得られるではないか！　これは画期的だった。

急に日本の大学を目指したいと宣言した私に両親も賛成してくれて、心機一転、それまで全く縁がなかった予備校に通い始めた。しばらく勉強していなかったので最初は大変だったが、確固としたモチベーションがあったので成績はぐんぐん伸びた。模擬試験の偏差値でいうと25くらい上がり、現役合格も夢ではなくなった。

正直入れるのならどの大学、どの学部でも良かったのだが、もしかして結構良い学校にも入れるのではないかと思い、私立最高峰の慶應義塾大学医学部を受験することにした。私の親戚には医師が何人もいるし、彼らはリッチなだけではなく文化的、都会的で、私の目にはまぶしく映っていた。もちろん、医者になれれば就職で困ることもない。

さすがに結果は惨敗だった。何より問題が難しすぎて、私には出題の意図すらわからないレベルだった。

ただ、別の大学の文系学部にはどうにか現役合格できた。こうして私は晴れて実家も朝鮮学校も脱出し、初めての自由を得ることになった。

18歳の私には、親にも相談していない「野望」が2つあった。

ひとつは、韓国籍の取得。もうひとつは、世界旅行だった。

「朝鮮」籍の在日は、韓国籍になるか、日本に帰化しない限り簡単に国外には出られない。2つの野望は一体化したものだったが、当時の私は、日本でも北朝鮮でもない世界を見たければ、韓国籍になって韓国のパスポートを手に入れるしかないという考えだったし、もともと先祖の出身地は韓国側（慶尚南道。そもそも日本にやってきた在日はほぼ現・韓国領内の出身）なので、韓国籍になること自体が自然にも感じられた。無論、朝鮮総連側にはすぐに知られてしまったが、私の父はすでに韓国籍になっていたので、韓国籍の取得自体は特に問題にならなかった。

ただ、取得後、意気込んでヨーロッパに乗り込んだものの、どうしても水が合わずにすぐに「帰国」したくなってしまった。サグラダファミリアは、現地で見るよりテレビや雑誌で見た方がはるかによく見えることを学んだ。子どもの頃はあんなに憧れていたのに、今は日本と韓国の行き来だけで十分だと思えるのだから不思議なものだ。

銀行員から「ヒモ」、そして個人経営者へ

朝鮮学校や実家を脱出でき、海外にも一応行ってみたことで、当面の私の目標は達成されてしまった。大学は入学と同時に休学して海外に出てしまったし、もともと大学には海外に行くための方便だったし、その大学にも学部にも関心がなかった。何より、東京での生活は関西で育った私には合わず、結局ほとんど単位も取らずに退学した。

そんな息子を見かねて、父は自分の会社の取引先である日本の銀行に私を押し込んだ。本来ならまだ大学生の年齢なのによく受け入れてくれたものだが、その銀行にとってけっこう父の事業は大きな存在だったということだろう。

銀行では支店の立ち上げや著名シンクタンクでの研修、財務諸表の分析法、お金を融資する側の考え方、物の見方など貴重な体験をさせてもらったが、何よりも銀行流の人付き合いの方法を学べたことが、その後大いに役立った。誰に対しても角を立てず、相手の懐に飛び込んで、自分の色をうまく出しながら相手にかわいがってもらう——これが、「在日3世の野蛮人です」という今の自分のスタイルにつながっている。

ただ、銀行自体、あるいは人に使われるサラリーマンそのものは全く好きになれなかった。銀行に籍を置きながら勝手にビジネスを始めてトラブルを起こしたりして、銀行に迷惑もかけてしまった。結局私は3年勤めただけで、父に断りもなく、コネで入った銀行を辞めてしまった。さすがにこれには父も本気で怒り、親子関係は断絶、私は実家を出奔した形となった。

当時付き合っていた女性の部屋に転がり込み、1日3000円の小遣いをもらって、半年ほど何もせずに遊んでいた。文字通りの「ヒモ」である。

そんなある日、住んでいたマンションの目の前にラーメン屋ができた。生活パターンがすっかり崩壊していた私は、そのラーメン屋は当時界隈では珍しい深夜営業をしていたので、よく通った。というより、その店しか開いてなかったから仕方がなかったのだ。

そして、そのラーメン屋はえらくまずかった。

深夜に仕方なくラーメン屋に入ると、客がまばらにいればまだいい方で、開店からしばらくすると、私しかいないことが多かった。

すっかり顔なじみになった主人から、なぜ客が来ないのかと愚痴混じりに相談されたので、単刀直入に「まずいからだ」と言ったところ、怒らせてしまった。

何がまずいのか言ってみろ、と聞いてくるので、だしやスープ、チャーシューの作り、温度の管理などいちいちなっていないと細かく指摘したら、「そんなに偉そうに言うならおまえが作って見ろ」と言うので、実際に私が代わりに作ってみたところ、味の違いは歴然だった。私はかつて親戚の経営する料理店でアルバイトを長くしており、プロの板長から直接さまざまな知識や技術、食材の違いを教わっていたのだ。私自身、料理は作ることも食べることも好きだった。

今度は反対に店主が感心してしまい、私の試作したラーメンを実際に出そうと言い始めた。なんとこれが当たり、閑古鳥が鳴いていた店にはやがて行列ができるようになった。そこで私も一緒に仕事を始め、同じ味で別の店舗を展開し始めた。これが、経営者、そしてコンサルタントとしての人生の本格的なスタートだった。

ラーメン店は大成功しチェーン展開した。その後私の権利は元の主人に売却し、私は独立して他のいくつかの事業を経て、最初の妻（日本人）と結婚、妻の実家の事業を手伝ったり、そこで新たな事業を興したりしながら、経済的にも成功し、それなりに楽しく、20年近い人生を過ごした。

両親への不義理を埋めるため「日韓の架け橋」に

私は自分で言うのもおかしいけれど、ビジネスの才能はある方だと思う。野性的にやっているように思われるかもしれないが案外計画的で、ビジネスのスケール、例えば飲食であれば店舗の規模や席数、食材の原価率、人流、家賃などの固定費などから、いくらの利益を出すためには、何をいつまでにしなければならないか、頭の中で素早く計算できる。そのためにいくらの資金が必要か、いくらの融資が可能か……こうした感覚は、元はと言えば銀行で学んだことだ。

やることがわかれば、あとはやるだけだ。無論時にはうまく行かないこともあったが、多くの事業は成功した。私が「婿」として来るまでは旧態依然としていて企業体力を生かし切れていなかった妻の実家の事業も大きく伸び、私はようやく、長い間意地を張って連絡を取っていなかった両親に親戚を通じて連絡を取ってみた。これまでの不義理をわびて和解し、これからせめて親孝行でもできればと考えたのだ。

しかし、母は2年前にすでに亡くなっていた。私はその事実さえ知らずに、生きていたのだ。

そして父は、重い病気で入院中だった。すぐに地元の病院に駆け付け、土下座をしてこれまでのことを謝った。

そしていったん家に戻ってきた後、父が亡くなったと連絡を受けた。

最後に父に会えたのだから良かったと考えることも、今ならできるかもしれない。しかし私にとっては、ほんの数日の間に母と父の死に連続して接した格好になったわけだ。それまでの人生では味わったことのないショックで、心に大きな穴が空いてしまった。

一体自分の人生は何なのか。急に、そんなことばかり考えるようになってしまった。

私自身、それから何かが変わったのかもしれない。日本人の妻との関係も悪くなり、結局離婚した。私に残ったのは、20歳の時に父がコネで無理やり入れてくれた銀行で身に付けたビジネスのコミュニケーションと経営の能力、そして、それを使って築いてきた、さまざまな成功体験だけだった。

ならばそれを活かして、新しいことをしてみたい。それも、韓国人として、在日の両親が喜んでくれそうな日韓をつなぐ仕事で自分の能力を活かしてみたいと思うようになった。

日韓の間で大きな成功をするまでは、両親の墓に顔向けはできない――そのくらいの覚悟で、私は日韓の間をつなぐビジネスを考え始めた。
だから私も、簡単には引き下がれないのだ。

偶然のきっかけで貿易コンサルタントに

最初は、日本に在住しながら日韓の文化交流を中心としたビジネスをしていた。ビジネスと言っても、利益はあまり優先せず、自分自身のやりがいを追い求めていた面が強かった。ただ、とても楽しかったことは確かだ。

自分が培ってきたいろいろな経歴を結びつけると、それが日韓の間で有効に使える能力であることがわかってきた。日本の文化、特に食文化の知識や経験、事業の立ち上げや運営、そして韓国語や対人コミュニケーション能力といった得意分野を、日韓の文化交流で生かせる、という自信と充実感。それは、ビジネスの成功とはまた違う形の達成感だった。

そうこうしているうちに、ある韓国の有名デパート創業家の親戚筋の人物とつながりができた。もともと彼はそのデパートのバイヤーだったが、現在は店内でアイテムを販売できる自社のスペースを確保していて、バイヤーとともにあれこれ売れる物を探しているという。

彼がなぜ私に連絡を取ってきたかというと、日本の有名なお菓子である福岡のひよ子まんじゅうと出展交渉をしていたものの、半年通ってもなかなか契約が取れなかったためだった。「日本企業をよく知り、日本からいろいろと（商品を）持ってきているあなたなら、きっとうまくやってくれるのではないか……」というわけだ。

先にばらしてしまうと、「飛んでしまった」社長が、まさに彼である。

つまり私は、曲がりなりにも財閥系とつながっている人間（それ自体はウソではない）、韓国ドラマの配役になっていそうな「上流階級」の人を信用して、騙されたわけだ。私だって、まさかそんな人が騙すなんて想像すらしていなかった。

時は年末にさしかかっていた。社長の計画では、韓国でも連休に当たる翌年の4月末〜5月のシーズンに出店してもらうべくアプローチをしていた。しかしなかなか契約が取れずに困っていて、そろそろタイムリミットも迫っている。どうしても来て欲しいし、獲得できれば大きな目玉になるので、何とかあなたの力でうまく行けばいいのだが……という相談である。

日本の企業との人間関係構築と交渉、日韓の仲介とコーディネートは私の得意分野だった。ただ、菓子メーカー以前に、貿易のコンサルタント自体未経験のジャンルなので、成功すれば報酬をもらうという話にして、私が交渉の仲介に入った。

　すると年内のうちに順調に話が進み、翌年の早い段階で契約交渉は妥結、日本で双方を引き合わせて正式に契約を結び、まずは社長の当初の目論見通り、韓国での販売ができることになった。

　しかも、売れ行きも大成功だった。具体的には、10日間の催事期間で8000個を販売しようとしたところ、1週間で在庫が尽きてしまった。

　販売の現場は、日本側の担当者にも直接見てもらった。彼も大きな手応えを感じていた。そして韓国の百貨店側、特にライバル店がこの動きを観察していた。

　やはり日本の有名菓子は売れる、人気になる、ということが再確認された。冒頭でも述べたとおり、韓国では「堂島ロール」の大ブームも起き、日本菓子、そして生クリームの旋風が起きていた。結果として、韓国の小売業界で、これまで韓国に入ってきていなかった企業を連れてきた社長と私のコンビにスポットが当たったわけである。

　私が交渉のとりまとめを担っていたものの、韓国側としては、あくまで社長の企業が主体である。そこで全ての話は社長を通して受けることにし、さまざまなブランドの新規交渉や発掘、韓国で実績を築いた日本企業を他の韓国企業と結びつけたりするビジネスを行った。日本企業に対する顔は私だから、この点はうまくすみ分けができていた。

日本企業の中には、韓国に関する交渉を全て私に任せてくれるところさえあったし、日本企業同士のネットワークを通じて、韓国で信頼できるコンサルタントとして紹介していただくこともあり、どんどん業容が広がっていった。韓国側の社長とともに、大げさでも何でもなく、北海道から沖縄まで開拓、交渉して回った。「白い恋人」で知られる石屋製菓や、北海道コンフェクト、九州の九十九島グループなどいくつもの日本の有名菓子メーカーとの交渉をまとめ、韓国に来てもらって実情を体感していただいたりもした。

日本菓子に対するニーズと、当時の韓国菓子のレベルを考えれば、やり方さえ大きく間違わなければ、韓国側小売も日本菓子メーカーも、「入れ食い」に近いビジネスが展開できたわけだ。

こうして、韓国の百貨店ほぼ全てと、20社近い日本企業の間をコーディネートしてきた。誰が見ても、このスキームに死角はないはずだったし、私自身もそう思っていた。困ったことと言ったら、本来は大のお菓子嫌い、甘い物嫌いの私も仕事上日に何度も試食しなければならず、その上日本全国のおいしい物を食べ過ぎて、どんどん太ってしまったことぐらいだった。

財閥家の人間が詐欺師だったなんて……

社長と私の契約は、最初の1年間はひとまず交通費などの経費だけ負担してもらい、1年後から成功報酬をもらうという形態だった。自信はあったものの、コンサル業がうまく行くかどうかは分からなかったので、それなら1年間がんばって実績を積み上げ、その上で評価してもらうことにしたわけだ。

こうして1年後の年末、再交渉の結果、私の受け取るそこまでのコンサル料をある金額で妥結した。出張中の札幌のビヤホールで、ジンギスカンを食べながら交渉したことを思い出す。

翌月末、そのうち1割強くらいの金額が振り込まれた。残りは3月に払うというので、特に気にもせず了承した。何せこの時点で1年間、お互いに汗をかいて一緒に日本中を飛び回った仲だし、しかも財閥家の親戚筋の人物である。疑う理由がない。

ところが3月末になっても振込はない。そして4月に入ったある日、社長の下で働いている人物から、思わぬ連絡をもらった。

「あの……すみません。うちの社長が飛びました……」

いったい何の話なのか、即座には理解できなかった。

社長が飛んで、スキップした支払いは私に対してだけではない。仕入れ先の日本菓子メーカーに対する支払いもあったのだ。

日本企業の多くは当初、発注時、そして韓国向け積み込み時に分けて先払いするよう求めていたが、実績が積み上がり、互いに信頼関係もできたと判断し、半額程度は販売終了後の後払いでもいい、という話になっていた。その払い分の大半が未払いになっていたのだった。

順調極まりないビジネスだったのになぜ……と、読者の皆さんは思うだろう。当時の私もそうだった。理由を探ると、私たちの知らない、社長自身の別のビジネスに問題があったのだった。

社長は親戚筋が経営するデパートでの販売権を複数持っていて、私と組んで展開している日本菓子関連だけでなく、欧州やアメリカの企業から仕入れてファッション関係の販売も展開していた。日本菓子は絶好調だったがその他は不調で、社長のビジネスとしてはファッション店舗の赤字を日本菓子の黒字で穴埋めをしている状態だったのが、ついに資金が回らなくなってしまった……これが真相だった。

にわかに信じられなかった。

全く関係のない話でとばっちりを食い、怒りが湧いてくるのは言うまでもなかったが、それ以前に私が交渉してきた日本菓子メーカーへの支払いも滞っていたことに驚かされた。早速連絡を取って事情を説明するとともに、私の責任で必ず支払いはするので、少し時間が欲しいとお願いした。最悪は、私自身がとりあえず代わりに払う覚悟だった。

しかし、捨てる神あれば拾う神ありなのか、話を聞いて見かねた財閥家のより本家筋に近い大物人物が、何と自腹で支払ってくれたのである。財閥系デパートのイメージを守るため、そして、その後の日本企業との関係性も考えてのことだったのだろう。

ともかくこれで、日本の菓子メーカーに対する私の面目は守られた。各社からはあなたがいたから大損をせずに済んだので、これからもよろしく頼むと言っていただき、かえって以前よりも強い信頼関係を築くことができた。そして、今に至るまでかわいがっていただいている。

ただし、飛んだ社長が私自身に支払うはずだったコンサル料の残り9割近くは、相変わらず未払いのままだ。さすがにこれは自力でなんとかするしかない。

結局、韓国で訴訟を起こすことにした。一審では勝訴したが、今も進行中である。私が韓国に定住するようになったのは、この裁判にスムーズに対応するためだったのだ。

飛んだ社長も巧妙で、差し押さえが及ばないよう資産をうまく親族に分散し、弁護士を通して異様な安値での和解をもちかけてきたりしている。私は裁判費用がかかるばかりで、まだ1ウォンも受け取っていない。

これでも、スペースの都合上かなり短い話にしている。本書の本来の趣旨に戻してまとめると、財閥家に連なる上流階級の人間が、事業で失敗するのは仕方ないとしても、支払うと約束したお金を払わないまま、平気で「逃げて」いるわけだ。

彼の周辺には十分な資金がある。彼らの金銭感覚で言えば、私に対して未払いになっている額などたかがしれている。それでも払わないし、その社長は破産もせず、別のところで今もビジネスをしているという噂だ。

では、彼がいかにも詐欺を働きそうな悪人だったかというと、今振り返ってもそんなことはない。それまで1年間一緒に仕事をしてきて、教養のある階層の人間だと実感していたし、アメリカに留学経験があり英語は達者、日本語もできて、日本企業とビジネスをした経験も豊富にある。何より、姻族とはいえ韓国人なら知らない人はいない財閥家とつながっているエリートだ。

そんな人が、まさか約束した金を支払わずに今も平気でビジネスをしているなんて……。衝撃だった。

こうして、私はその後毎年のように、いろいろなパターンで詐欺に遭った。一度痛い目に遭ったのだから次からは警戒すればいいのに……と思うかもしれないが、本当に、手を変え品を変え、額の大小にかかわらず、いろいろな詐欺のパターンがあるものである。こうして4000万円近くをだまし取られ、最後に「NO JAPAN」で1000万円が消え、今に至ると言うわけだ。

それでも、両親への不義理から始まった「日韓の架け橋になる」という決心は、今も変わらない。だから私は、まだ韓国にとどまっている。

この本や原稿の執筆も、架け橋としての自分がすべき仕事の一環だと思っている。ただ、私のような経験をした上で、それでも日本の読者に、韓国社会の良いことばかりをお伝えできると思うだろうか？　ありのままを伝え、警鐘を鳴らすこともまた、大切な「架け橋」の役目だと思っている。

大金を失って知った日韓ビジネスの根本的な違い

日本人は日本の常識、信頼関係の中で生きているし、日本のビジネスパーソンもまた、日本の常識、信義、規則の中で活動しているだろう。私もそうだった。

信頼が大切。決めたことは守る。ベストを尽くそうと努力する。何かあれば誠心誠意対応する。敬意を欠かさず、結果が悪くなったらとりあえず謝る。こういった、お互い言わなくても分かっているし、守りますよね、という最低限のラインが必ず存在するし、そのこと自体を疑っていない。

しかし、それでは韓国だと詐欺に遭う。

韓国ビジネスのもっとも危険なポイント。それは、「契約書があっても通用しないこと」である。そんなバカな、だったら契約書を交わす意味自体がないじゃないかと言われるだろうが、まさにその通りだ。契約書を交わす意味がないのだ。

契約書は韓国社会でもあらゆるところで結ばれる。供与する内容でも、金額でも、期間でも、何か問題があった場合の解決法でも、契約書の中に書かれていること自体は変わらない。

しかし、それが守られないのだ。私のようなケースだけではない。一度決めたことを軽々しく変えてくるのが韓国流である。

契約書に書かれているのに、相手側の勝手な都合で、「こんな安値では売れない」、「この工期は守れない」、「この期日では納品できない」などと急に状況が変わってくるのはざらにある話だ。日本の常識なら契約書を結べば一安心だが、韓国ではないよりはマシ、というレベルだ。特に、私のような小さな業態、あるは個人事業や下請けなどの弱い立場では「契約書などあってもなくても同じ」といってもいいくらいだ。

お互い信頼できる人間同士では、よくこうした厳しい現実が愚痴話になる。

あるインテリア工事の業者から聞いた話を紹介しよう。

ある食品製造工場に対して、契約を交わした上で再三確認のうえ搬入したはずの機材を、入れ替える（変更する）よう指示された。しかも、もとの契約の内容では予算的に全く不足しているため、仮にその通り入れ替え対応するなら、差額を都合してもらわなければならない。

しかし、先方の担当者から出てきた答えは、増額はできない、機材は変えろ、の一点張りだった。どうやら真相は、担当者自身かその上司の判断ミスで起きたトラブルの処理を、無理やり受注側に押しつけようということなのだった。結局話は決裂し、工事はその段階でストップしてしまい、再開のメドもたっていないという。もちろん支払いも受けられていない。

別の話もある。韓国でやはり内装業を営んでいる日本人の知人は、韓国人の若者がカフェを開業する案件の内装を受注し、契約も済ませて工事に取りかかった。もちろん契約書通りの内容で約束した期間内に工事を終わらせ、カフェもオープンしたが、いまだに支払われていないとぼやいていた。

背景は、カフェオーナー側の計画性のなさである。しっかり支払える見込みもないのに契約だけ先に結んでしまった。

もっともカフェの営業が始まっているので、日本であればこの時点で何らかの融資が受けられてもおかしくはない。特に日本政策金融公庫であれば、新規の個人事業に対しても数百万円単位の貸し付けをしてくれるが、韓国にはそういった仕組みはほとんどない。少なくとも半年程度の営業実績がなければ融資の対象にならず、それまでに自己資金が尽きれば、担保物権がない限り親や親戚の借金をあてにするしかない。

そこでオーナーは「支払いを半年待って欲しい」と懇願してきた。これはよく考えると、最初に断りもしないまま、内装工事という形で無理やり内装業の日本人から代金分の開業資金を無利子で借りているに等しい。その工事の結果営業できているのだから。

世間知らずなのか、知っていてわざとそうしているのか。単に無計画なのか、かえって計画的なのかはわからないが、とにかく見切り発車するのが韓国流だ。

ちなみにこの若いカフェオーナーは、交渉の結果内装業者に月の売上の15%を支払いに当て、半年後に融資を受けられたら残債を一括して返済すると約束したが、結局半年後も借入ができず、なお同じ状況が続いているという。

私のような思いをしている人は、決して少なくないのだ。

「江南の人間の9割は詐欺師だ」

まして私は在日である。前に述べたとおり在日は差別的な目で見られるし、在日が代表になっている企業は苦労する。それを具体的に言い換えると、在日が韓国でがんばっても、「泣き寝入り」に遭う可能性がより高まるということだ。

裏を返せば、このくらいで参っていたのでは韓国では生きていけない。相手がそうなら自分もその覚悟を固めなければいけないというか、お互い面の皮が厚くなければ生きていけないし、いざ追い込まれれば細かいことなど気にしないのだ。

私の周辺では愚痴混じりに、よくこんな話が韓国ビジネスの「あるある話」として飛び交う。

以前不払いを食らい、取り返すために大げんかまでして結局支払ってくれなかった人が、あるとき急に連絡してきて、しつこく「兄さん、今困っていることがあるので助けて欲しい」と懇願してくる。しかも、過去に何もトラブルなどなかったかような態度で。

また、こんな話もある。「数千万円、数億円の未払いで訴えられたところで、返せないと押し通せば、民事は破産、最悪刑事は詐欺罪で何十万円か罰金払って刑務所に半年入れば全部済む。だったら刑務所に入ったほうがもうかる」

これはさすがに、目からうろこが落ちた話だった。

新聞記事で、韓国では詐欺事案の裁判が2016年時点で日本の16倍以上というニュースを読んだが、これは実感として納得できるし、泣き寝入りを含めれば本当はもっと多いかもしれない。

たまたま乗ったタクシーの運転手は、「江南の人間の9割は詐欺師だ」と決めつけていた。どんな根拠、あるいは経験があるのかは分からないが、彼の人生がそう語らせるほど、韓国では詐欺事件が多発しているのだろう。

そんな社会で暮らすのは大変である。私のように会社に勤めているわけではない立場なら、強い立場の相手がしっかり約束を守ってくれるか、すでに終わった仕事に対して期日通りに入金されるかどうかをいつも気にしながら、まさかの場合も考えて行動しなければならない。頼りになるのは、同じような立場でお互い信頼できる仲間からの情報だけである。「あの話は順調？」「あの社長は飛んだ？」そんな話ばかりだ。

架け橋になるぞと意気込んで韓国にやってきた私自身も、7年を過ぎた頃、それまでつながっていた韓国人の電話番号を全て削除したほど「韓国人不信」に陥った時期があった。私も韓国人なのに、である。

一応解説しておきたいのだが、「詐欺」や「詐欺師」という言葉には、日本と韓国の間で文化的な差異がある。日本で「詐欺」「詐欺師」というと相当計画的かつ大がかりで巨額の犯罪という印象を受けるが、韓国では、自分が主体的に「損した」と感じた相手に対しては、わずかな額だろうと総じて「詐欺師」と呼ぶことが多い。つまり、日常的に、軽い意味でも使うということだ。

ちょっとお釣りの計算を間違えて少なく出しても、いつもより盛り付けや量が少なくても詐欺だし、投資で損しても買った車が故障しても詐欺、時には自分が間違えて買っただけなのに、勝手に逆上して相手を詐欺師呼ばわりすることもある。

私は、だから韓国における詐欺をそれほど大げさに見なくてもいい、と言いたいわけではない。個別のケースでは、一口に詐欺と言ってもどのくらいのレベルの話なのかは見極めなければいけないが、ここで知っておいた方がいいのは、「詐欺師マインド」とでも呼ぶべき考え方の浸透具合である。

日本であれば、大風呂敷とか山師とかほら吹きとか、いろいろ軽い言い方がある。しかし韓国では何かにつけて「詐欺」と呼びたがるのは、それだけ周辺に詐欺話があふれていて、互いの警戒心が高まっているからなのではないだろうか。

韓国に来て、これほどまでにあちこちから「詐欺」という言葉を聞く機会が多いとは思わなかった。だましやすい人、だまされたと知っても抵抗できなさそうな人を探しては、容赦なく利用していく。そうした韓国人の感覚には、今も正直、呆れてしまう。

もちろん韓国にも、どんなに少額でも決してごまかさず、期日通りきちんと入金してくれる誠実な人だっていることは間違いない。反対に日本にも詐欺師はいるし、私も日本でだまされたことがないわけではない。問題は、その頻度、あるいは発生確率である。

日韓で自営業者、小企業経営者として生きてきた私の感覚をあえて数字にするなら、日本ビジネスでの「詐欺師率」が1000人に1人くらいの確率だとすれば、韓国のそれは10人に1人くらいの感覚で出会ってしまう。

よく「韓国人は息を吐く様にウソをつく」『ウソも100回つけば真実になる」という声を聞くことがある。これはさすがに言い過ぎだろうという指摘もあるだろうが、私の体験上はあながち外れていない。

本当は、「10人に1人」でもリップサービスしているつもりだ。タクシー運転手の「9割が詐欺師」とまでは言わないにせよ、個人的には2人に1人といってしまってもいいくらいの感覚だ。

まさかそんなウソをつく？

私が韓国で聞いた詐欺の一例を紹介しよう。この本を読んだ方が同じパターンにはまらないことを祈りつつ……。

私の後輩に当たる在日3世は、外車のクラシックカー展示関連のビジネスを手がけていた。韓国では希少なクラシックカーを日本から借り受け、韓国の外国車ディーラーを顧客として展示イベントを企画、実行していた。

後輩が一緒に組み、何度もイベントを成功させていた韓国人は、車好きで人柄も良さそうで、ソウル中心部でタイヤ販売やコーティングなどの事業を手がけている経営者で、実際に彼の会社に呼ばれ「自社ビル」も何度も見せてもらったそうだ。

もちろん契約も結んだうえ、後輩がクラシックカーを貸し出す日本側に先払いをして、韓国側からの入金の分配は後から精算するようなケースもよくあった。

経営者からは、長年の知り合いという人物たちを複数紹介され、その人たちは彼を信用して、いくらか彼の事業に出資もしているという話で、後輩としてはますます信頼度が上がっていた。

後輩がその韓国人と組んでいたのは、私の事情と似て、人脈以外にも韓国側企業と直接取引することが難しく、間に入ってもらっていたという意味合いもある。

そんなある日、外車ディーラーから、日本にあるクラシックカー10台の展示を手配して欲しいと依頼が入り、後輩は各年代の名車を選んで韓国に送った。とても大規模で、自動車マニアとしても、日韓の間をつなぐという意味でもとても達成感のあるイベントだったそうだ。ただ、段取りの都合上、日本側への支払い約700万円は、いったん後輩が立て替えていた。

ところが、イベントが成功に終わった後、韓国人事業家から一切連絡が来なくなった。あれだけ大好評で、韓国側でもいくつものメディアが取り上げ話題になったイベントだったのに、韓国側の窓口である彼から連絡が来ないのは不自然だ。支払いもない。

後輩は不信に思い、彼から以前紹介された出資者の一人に連絡を取ってみた。するとその人物も、待っていましたとでも言わんばかりに、「いやいや、君は彼から僕のことをどう聞いているの？」と逆質問されてしまった。そこで慌てて、手分けして彼の周辺を洗ってみた。

まず、わかったのは彼はそもそも自己破産者だった。しかも、彼が自分の物件だとしてみんなに見せていた「自社ビル」は抵当に入っていて登記簿は真っ黒け。事業を営んでいるという会社も賃料の支払いを1年以上滞納している、不法占拠の状態だったのだ。

こうして、彼の周辺にいた後輩を含む人物6人が、彼抜きで緊急に集まった。そこで互いに初めて共有した話をひとことでまとめるなら、「被害者の会」の第1回会合そのものだったという。

まず、彼の話はほとんど全てがウソだった。後輩に対して「信頼できる長年の友人」と紹介した人物は、当の本人によれば教会で数カ月前に知り合っただけの人物だったりした。つまり、全員に対して破綻しないようなうそをつき、うそをついている相手をさらに利用して新たなうその材料にして、全員を信用させて最大限出資を引っ張っていた……という構図である。

後輩の被害額700万円はまだ「かわいい」方で、最も多額の人では6000万円も出資していた。

みんな怒った。裁判で戦おう！　……もちろん裁判は勝利した。しかし彼には支払い能力そのものがない。罰金と懲役刑を受け、出所した今はソウルを離れ、別の場所で同じような手口の詐欺を働いているという噂だ。

自分の物でもないビルや事業所を見せ、外国を股にかけて大々的なイベントを打ち、言葉巧みに人をだまし、だまされている人を材料に使ってまた別の人をだます。

このケースで痛感したのは、詐欺のために使ううそが、日本人の感覚ならそんなバカなと思うくらい大げさでダイナミックで、うそっぽいのにまんまとだまされてしまう不思議さだ。

韓国の「マイルドな詐欺師」たち

数百万円、数千万円の詐欺被害は大問題だ。下手をすれば、だまされた側の人生が台無しになってしまう。

ただ、額の大小は関係なく、日々の韓国生活の中にはいろいろな「小さな詐欺」のパターンがある。結局根っこは同じで、同じ人物がだんだん額をエスカレートさせるのか、あるいはそもそもだまされる方が悪いという感覚が浸透しきっているのか、いずれにしても注意した方がいい。

たとえば、日本人が韓国にいろいろな理由でやってきた際、若い女性を紹介されようものなら、男性だと調子に乗ってしまうこともあるだろう。

私がまだ韓国に住んでおらず、仕事のたびに出張で韓国に来ていた頃のこと。知り合いから紹介されてみんなで何度か食事をいっしょにしていた韓国人女性から、友人が席を外したタイミングでこんな相談を持ちかけられた。

「兄さん、実は今度の携帯電話料金の支払いが苦しくて……30万ウォン（約3万円）だけ貸してくれませんか？」

韓国社会はほぼキャッシュレスで、普段現金をほとんど、あるいは全く持ち歩かない人も少なくない。だが、日本人旅行者はそうではないことを、韓国人はよく知っている。つまり、日本から来ている私がある程度の現金をその場に持ち合わせていることを計算に入れて聞いてきたのだろう。実際にその通りだった。

韓国にいる間に必ず返すと言われてしまい、むげに断るわけにもいかないし、見栄も張りたい。酒が入っていたこともあって、私は言われたとおりの額を貸した。

そして、3万円相当は、約束通り滞在中に全額を返してもらった。だが、問題はここからだ。

その後、韓国に行くたび同じようなやり取りがあり、貸したり返してもらったりしながら、貸したお金が10万円相当になったところで、彼女とは連絡が取れなくなった。

まずは少額の取引で信用させておいてだんだん額を上げるというのは詐欺師の典型的パターンだが、彼女が最初から私をだますもりだったのか、あるいは額が大きくなってしまい返す見込みが立たなくなったのか、単に面倒になったのか。真相はわからない。

その後韓国に住むようになって、同じような立場の日本人や在日の男性と何人も知り合いになると、結構な確率で似たパターンの被害に遭っている人がいることに驚いた。お互い何となくばつが悪く、笑って流すしかなかった。

私を含め、在韓日本人や在日の心のよりどころになっている在韓日本人弁護士の先生が、江南に事務所を構えている。この道20年、韓国における日本企業担当の顧問弁護士のドンと言える存在だ。

そこには日本人からも大小さまざまな案件が持ち込まれてくるというが、韓流ドラマやアイドルにハマって韓国にやってきて、韓国の若い男性と恋に落ちたあげく大金を取られた中年女性の話というのは、あきれるほど多いのだそうだ。

人間関係、恋愛関係がからんでくると、これが詐欺なのか、いやまさかそんなはずは……という考えの中で揺れ動くことになる。私は韓国にやってきた後、韓国人の女性（数少ない信頼できる人間）と知り合い再婚した。2人で住むことになり、広い物件に引っ越した。ちょうど同じころ、妻が親しくしていた年下の女性（韓国風に言えば「妹分」）が家族とケンカして家を追い出されてしまったという。そこで、家賃30万ウォン（約3万円）でいいので、一部屋を使わせてあげる約束にした。

しかし、この家賃はいまだに一度も払われていない。それどころか、お金がなく苦しいというので携帯電話代も肩代わりしたままである。

あまりにお人好しだろうと指摘されそうだが、何せ住むところもお金もない子だし、こちら側はそれなりにビジネスもうまく行っている時期だったので、あまりお金のことでしつこく責め立てるのも気が引けたからだ。なにせ妻の親しい後輩なのだし。

ところが、さすがに私もだんだん、これは「マイルド」にだまされているのではないか？と考えるようになった。

その後、その子がなぜか、高価なゴルフクラブを持っていることに気づいたからだ。

いや、そんなクラブが買えるのなら、家賃や携帯代を支払えるのではないか？　というより、そうすべきではないか？

これは韓国人の独特な感覚とも関係している。私の妻を「姉」と慕っている以上、「姉」やその彼氏である私が困っている「妹」を助けるのは当たり前だし、疑ったりすること自体してはいけないことなのだ。

結局、私がどうしたか？　これがある意味傑作である。

次の部屋に引っ越す機会に、今後は一人で暮らすよう、その子が家を借りるための保証金に当てるようにまとまった現金を渡して出て行ってもらったのだ。いわゆる追い銭である。もちろん、それまでの家賃も携帯代も一切そのままで。そこまでしてでも、とりあえず出て行って欲しかった。

さらに後日談がある。今でも妻とその子の関係は続いているのだが、時々その子が食事代を出す（おごってくれる）ことがあるのだという。

多少は罪の意識があるのか、ガス抜きのつもりなのかはわからない。ただ、食事代を払えるお金があるのなら多少これまでの家賃を返して欲しいのだが……。これを詐欺と呼ぶかどうかは別として、どうにも納得がいかない。

私は原稿を書くためによく江南のカフェに長時間滞在するが、人の良さそうな、お金のありそうな身なりをしている老人が、言葉巧みに投資案件の勧誘をしていたり、どこかの誰かにうさんくさそうな勧誘電話をかけていたりする場面をよく見かける。

また今日も、うかつなどこかの誰かがだまされて大金をとられるのだろうか。その事実に気づくのは一体いつなのだろうか。だます方が悪いのか、まんまとだまされる方がマヌケなのか……。

韓国人に計画性が根付かないワケ

私なりに精いっぱい韓国人をフォローすると、彼らには詐欺を働く、あるいは詐欺的になりやすい構造的な背景があるのではないかと思う。

それは、日本と比較した場合の、計画性の乏しさだ。

韓国人は一般に無計画だ。契約を守らず約束をしても実行しないと述べたが、それを最大限好意的に解釈すると、最初は守るつもりがあっても、計画をしっかり考えていないために破綻するからだ。

両国のビジネスを経験した上で私なりの結論を述べると、大半の韓国人は、日本人のように、長いスパンで人生の計画を立てる機会そのものがない。これは、日本人が恵まれているという話でもある。

日本では、かなり幅広い年代で低金利の住宅ローンが組める。条件さえそろえば60代からでもOKというのは、韓国人は簡単には信じないだろう。住宅価格もそこまで高くない。しっかり返済計画を立て、もちろん真面目に働けば、いつまでにいくら返済ができて、何歳までには完全に自分の家になるかが見通せる。当然、その間の生活費や教育費などのバランスも考慮する。家を通して、多くの日本人が長期プランを立てている。

また、これもすでに触れたが、日本では個人でビジネスを始める際でもやはり低金利の公的融資が手厚い。私も何度も世話になったが、そのためには自己資金と融資額をもとに、どのくらいの規模でいくら売り上げ、利益からどれだけ返済に回せるかという事業計画を立てることが当然に求められるし、誰でも自然にするようになる。これは、日本では生まれに関わらず能力とやる気があれば、多くの人に成功の道が開かれていることを意味する。もちろん我々在日でも、だ。これは素晴らしいことだと思う。ただこれも、日本でだけ暮らしている人には、なかなかありがた味がわからないだろう。

だが、韓国人はこうした機会に恵まれていない。住宅ローンだけで家を買える人、自己資金や融資で開業できる人はほんの一握り、多くは親の資産や経済力を担保にしない限りチャンスがない。

では、そういう親の元に生まれなかった場合はどうするのか。一攫千金のためなら、計画などにこだわっている場合ではない。行き当たりばったりでもとにかく倒れなければいい。文句を言わなさそうな相手から順に、借りた金を返さなければいい。そうしなければ生きていけないのだから……。

もっとも、こうした韓国人のやり方を、都合よくワイルドとかダイナミックと解釈することもできるだろう。ただし、実際は勢い任せ、無計画、とりあえず走り出してどん詰まりになってから悩み出すという変な性向が浸透してしまっている。それがけっこうな大企業でもそうなのだ。

付け加えるなら、私は銀行員時代に培った財務諸表分析の経験からして、少なくない韓国企業の財務諸表には問題があると見ている。強い言葉で言えば、日本企業が韓国企業を相手にする際は、粉飾決算を常に疑って十分に警戒した方がいい。

実際に財閥系企業と話をしていて、経営層や幹部層が自社の中期経営計画を理解していないケースに遭遇したことがある。要するにそんなものは一時の対外的な説明用で、大して重要視していないわけだ。

極め付けとして、国際シンクタンク勤務の知り合いから、こんな噂も聞いたことがある。何と韓国政府の施策を決める際の分析資料が、実は担当部局が作っていなくて、某外資系シンクタンクに発注して出来てきた資料をそのまま使っている、というのだ。ちょっと信じられない話ではあるが、日本人はもしかしたら、日々熱心に働いているだろう霞が関の官僚の人たちに、本当は感謝すべきなのかもしれない。

そもそも財閥も成金、彼らのおいしいビジネスの手口

韓国経済を支配しているのは財閥である。同時に、韓国は完全な人脈社会だ。人脈無くしては成り上がれないシステムになっている。

韓国で財閥が大きく飛躍するきっかけは、1965年の日韓基本条約締結以降、日本からの資金流入や技術的な助けを受け、同時に時の韓国政府と強くつながってきたことだ。つまり、韓国財閥の多くは、もともとの起源はもっと古かったとしても、大きな財閥となってからはまだせいぜい50年程度しかたっていない。

中央日報（日本語版、2022年11月23日）の記事によると、韓国の企画財政部（日本の

財務省に相当）が中小企業研究院の資料を引用して説明したところでは、韓国で業歴が100年以上の長寿企業は7社、同50年以上の企業は1629社だという。日本では100年以上の長寿企業が3万3076社、アメリカは1万9497社、スウェーデンは1万3997社、ドイツは4947社なのだそうだ。

急速に発展してきた韓国経済の中で、財閥は計画的というよりはとにかくあれこれ手を出し、人脈を駆使してがむしゃらに会社を伸ばしてきたのが、特に創業した1世世代の人生だったと言えるだろう。そして、本当に無計画だった財閥は、90年代終わりの外換危機（アジア通貨危機が飛び火してIMFの管理下に置かれた時期、IMF危機）で、多くが整理統合され、あるいは破綻していった。

生き残った財閥では、現在は2世、3世の経営者の時代である。彼らの多くは、日本人、あるいは日本で育った私のような人間には、ただの「成金」にしか見えない。

創業経営者のようなエネルギー、ワイルドさもなければ、良家の子女としての品格も感じない。それでも2世なら、身を粉にして働いていた創業者の姿を知っているかもしれないが、三代目ともなると、ただお金がある家に生まれただけの「バカボン」も少なからず出てくる。もちろん仕事や経営、勉強にいそしんでいる人もいるのだろうが、飲酒の果ての暴力や麻薬問題などでよくニュースを賑わしている。「ナッツ・リターン」で大きな話題となった女性は典型例だが、彼女も大韓航空を傘下に置く韓進《ハンシン》グループの三代目だ。もっとも、日本企業にも、三代目となると「バカボン」が少なくないが。

私は韓国でこうした財閥2世、3世と何人か知り合いになったが、彼らには必ず夜の飲み屋について回っている、いわゆる「たいこ持ち」が存在する。このテクニックがすごいのだ。座をたちまち盛り上げる漫談のようなトーク術や、マジックなどのネタの技術。どれもプロの水準で、少し時間を与えればその場にいる全員が楽しくなれる。ある財閥2世は複数の「たいこ持ち」を抱え、その中でもお気に入りの男をどこに行くにも必ず同行させているという。

毎日楽しく飲んで笑って、大した実績がなくともいずれどこかの会社の代表に収まっていく。何ともやり切れない感じがするのは、財閥家の関係者にだまされ大金を失った私だけではないだろう。

私は、財閥一族が持っているおいしい利権ビジネスの一端をのぞき見たこともある。

韓国でも続々大型のショッピングセンターやショッピングモールがオープンし話題を呼んでいるが、これは建設する側が集客力の高い区画を提供し、そこに入居したテナントが保証金を納めた上で、売上に応じて家賃を納めるビジネスである。ところが、財閥本体がいきなりテナントに貸し出すのではなく、財閥系一族の別会社が間に挟まる仕組みになっているのだ。

ただ、一族たちは特に何もしない。つまり、安く仕入れてそのまま高く売る、書類上右から左に流しているだけで一定のマージンが抜ける仕組みだ。ショッピングモールのほぼすべてが、その対象になっている。一族のあの家族には何区画、別の家族には何区間……財閥のブランド力や宣伝で客が集まり、出展希望企業が吸い寄せられている間は、このビジネスは不敗、無敵だ。買い物をしに来ている庶民は、知らない間に財閥に連なる家族たちの優雅な生活に自動的に貢献しているのだ。

しかもこうした類《たぐい》のおいしいビジネスは、一つの財閥グループの中だけで行われているわけではない。大きい意味では、現在の韓国の財閥グループ、創業家一族はほぼ全てつながっていると言っていい。結婚して親戚同士になることもあるし、学閥でつながっていることもある。そもそも財閥同士であるということ自体が、ライバルである以上に、同じ「階級」に属している仲間なのだ。

彼らの間では、彼らしか参入できない情報や案件がやり取りされている。同時に、彼らの中に入ってビジネスをしたい人の口利きをするだけで生活をしている人もいる。私に依頼してきた業者もそうした口利き料（50万〜100万）で出店できたが、近年はだんだんこうした汚職まがいの手法に関して厳しい対応をする財閥も出始めてきてはいるが。

成り上がりたければ「人権弁護士」になれ！

こうして考えてみると、財閥に生まれなかった韓国人が成り上がるために、第1章で見たようなデモや労働運動を使うというのも、ある意味では有力な方法なのではないかという考え方も成立する。

韓国ではよく、貧しいけれど能力はある庶民が進路を決める際、「金がなければ弁護士になれ」と言われる。

盧武鉉元大統領、文在寅前大統領はもともと人権弁護士出身だが、彼らが名を上げたきっかけのひとつは、1981年に軍事政権下で起きた釜林《プリム》事件（反政府運動をしていた学生や活動家を弾圧したとされる事件）の弁護だ。これを題材とした映画も作られているが、正義の左派弁護士として作られたイメージをもとに大統領にまで成り上がっていった経緯がある意味よく理解できる。

李在明《イジェミョン》「共に民主党」代表（前回の大統領候補）も貧困家庭出身で、選挙時はかつての貧しさをアピール、弁護士活動でもやはり人権派だ。

いかに財閥といえど、行政のトップである大統領には逆らえない。下手をすれば、サムスンやロッテの総帥のように、監獄に送られることもあるからだ。特に、韓国の大統領制は王様に近いとさえいえる権力集中型である。

「人権弁護士」は、思想の中身はさておき、庶民から一定の人気がある。それを背景に大統領にまでのし上がるという実績を2人が達成し、もう1人もあと一歩まで迫ったということだ。

この3人は、いずれも左派系の弁護士団体「民弁（民主社会のための弁護士会）」出身だ。民弁と言えば詳しい方はお分かりになるだろうが、「元徴用工」問題の裁判などを主導し、日本を相手に無理に活動を長引かせている団体である。第3章でも触れるが、正直もはや「元徴用工」問題の解決方法はなく、あとは政治的な妥協、あるいは放置しか残されていない。民弁の弁護士はそこに食い込み、反日を材料に自分たちの存在価値を上げていこうとしているわけだ。

これもまた、民弁の弁護士が、韓国社会で成り上がっていく一つの材料に見える。ある意味では、日本も「元徴用工」たちも、それに利用されているのだ。

「自分たちは日本人より欧米化されている」

私の経験をまとめると、韓国ビジネスは結局「お金」が全てと言える。

もっとも、第1章でも見たとおり、政治信条もまた利権で左右されるし、財閥はこっそりお金を再生産する仕組みを作り上げているのだから、韓国人は全てお金で動くのだと考える方が、シンプルでわかりやすいかもしれない。

こう言うと、韓国人から反論されそうだ。いや、ビジネスなんだから結局金で動くに決まっているだろうと。むしろビジネスであろうと金が全てではないと考える日本人こそおかしいのではないか、という話だ。

私が韓国に来て、不思議というか、奇妙に感じるのは、韓国のビジネスパーソンの多くが、「自分たちは日本人よりも欧米化されている」と考えていることだ。

たとえば、日韓の企業を結ぶミーティングの席があるとしよう。もう大枠の調整は済んでいて、結論はほぼ決まっている、あとは確認するだけ。それでもお互いに顔を合わせてお天気の話から始めて雑談や歓談を交わし、互いの関係性、信頼感をいっそう高め、プロジェクトの成功を祈るための目的でしっかりとした場を持つ。そして確認すべき事を確認する。こうしたシチュエーション、コミュニケーションのスタイルは、日本の企業ならばよくある話だろう。

しかし、韓国人はこの意図があまり理解できない。内容で合意できているならさっさとサインをして10分で終わらせればいいと考えている人が、特に若い人ほど多くなっていると感じる。

最初こそ日本側のペースに付き合っても、1時間、2時間と過ぎてくると、表向き意味のなさそうなやり取り、微妙な空気感に堪えられなくなり、スマホをいじり出したり、あからさまに退屈そうな顔をしたり、最悪は「お腹がすいたのでそろそろ終わりにしたい」とはっきり言ってしまったりもするのだ。

この調子で日本企業と交渉しても、なかなか信頼は獲得できないだろう。もっとも、こうした日韓間のすれ違いがあったからこそ私の貿易コンサルタントとしての活動余地があったのかもしれないが。

あるいは、日本で生まれ育ち、日本式でビジネスを学んだ私の感覚は、すでに完全に日本化してしまっているということなのかもしれない。もっとも、1世、2世の時代までは、在日同士で争ったりだまし合ったり、仕事を奪い合ったりもしたらしいが、周りを見ても、3世ともなると、すっかり日本化してしまったと言える。

結局、韓国で助けてくれたのは日本人と在日だった

こうして、韓国のビジネスでもまれ、何度も詐欺に遭ってきた私だったが、結局そんな私を助けてくれて、いろいろな意味で引っ張り上げてくれたのは、韓国にいる日本人や、同じような思いをしている在韓の在日の人たちだった。

極端に言えば、私にとって心底信頼できる韓国人は今の妻だけである。

そんな私を助け、励ましてくれたのは、ソウルにある「日本人会」だった。もっとも、この集まりを教えてくれたのは、日本通の韓国人だった。彼にはお礼を言わなければならない。

韓国には数多くの日本人会が存在する。オフィシャルなものもあるが、中には出身地や

年代、干支、現在の業種、現在住んでいる地域、ランチオンリーの会など、さまざまなコンセプトの集まりがあって、相互につながっている。

ほとんどの日本人会はフランクで、在日でも、韓国人でも、縁があって日本語が可能であれば誰でもOKというパターンが多い。

私もたくさんの場に顔を出した。普段の人間関係ではまず生涯知り合いになれないいろいろな立場の、時にはすごい肩書の日本人とも知り合いになれた。

中でも、特に県人会が垣根なく気軽に日本人と出会える会として人気があった。県人会のルールとしては、その県に「住んだことがある」『働いたことがある』『親戚がいる」程度でよく、中には「県名が書ければOK」という会すらあった。誰でも歓迎で、気軽に参加できるのだ。

こうしたご縁の中で、2022年に日本で大きなニュースとなった統一教会の問題(在韓日本人のうち相当数が統一教会関係)の実態、そして「反日」を巡るさまざまな韓国国内の問題についても、多くの情報と学びを得ることができた。

何より、小さな頃から朝鮮学校の中で生きることに抵抗感を感じて飛び出し、いろいろな方の助けを借りながらどうにかビジネスを続け、やがて韓国に渡ってまさか同胞からひどい目に遭わされるなどと思ってもいなかった私は、韓国国内の日本人コミュニティー、そして在日の仲間のおかげで、精神的にずいぶん助けられた。ボロボロになりながらもどうにか今日まで生きてこられたのは、日本人と在日に支えてもらえたからだ。

「日本のほうが絶対に良い」と断言できる

日本を追い越し先進国になったと息巻く韓国で暮らした私の結論は、「そんなことは絶対にない。韓国よりも日本のほうが断然いい」だ。

無論、日本生まれ日本育ちなのだから、ある程度日本社会に対する「アドバンテージ」はあるだろう。しかし、韓国にルーツを持つ私なりに覚悟を決めてやってきた韓国で、足元をみられ、弱い立場を見透かされて、これほどまでにひどい目にあったのでは、「韓国のほうがいい」と言うこと自体に無理がある。

私の書きぶりに、私のことを「嫌韓」とか、形を変えた「ヘイト」と呼んでくる人がいることは想像できる。しかし、私はあくまで自分自身の身の回りに起きたことを、冷静に、見たまま、聞いたままにお伝えしただけだ。

強調しておきたいのは、日本と韓国、両方の社会に居住し、それなりの時間を社会人として、それも個人事業主や小企業の経営者として過ごした人はあまり多くないだろうということ。つまり、なかなか比較ができない世界を体験しているわけだ。

その中で、差別されたと感じた回数、だまされた回数、裏切った人の数、そして失った金銭の額を比較すれば、それだけでどちらがいい社会なのか、どちらのビジネスがよいのかは結論を俟《ま》たない。

在日の中には、自らが日本社会でさまざまな「被害者」になっていると主張している人がいる。本当だろうか？ 私に言わせれば、日本で被害に遭ったことはほとんどないが、韓国に来たら本当に何度も被害者になってしまったわけだ。

そして、彼ら在日もまた日本生まれ、日本育ちである。多くの日本人と同じように、日本社会で生きていることを当たり前と感じるあまり、幸せやメリットを体感しにくくなっているのだろう。うそだと思うなら、私のように韓国に来て暮らしてみたらいい。

私は日本人ではないが、むしろ日本を自慢したい。

私の祖国は韓国だ。それは変わらない。

しかし、私が在日であろうと何であろうと、選挙権がなくても、私を助けてくれた日本社会は住みやすい社会だと思うし、日本の発展にも貢献したい。

第3章

「在日3世」が感じた「反日への違和感」

吹き荒れた「NO　JAPAN」旋風

私が在日3世として韓国で感じる「違和感」のうち、相当部分を占めているのは、韓国人の持っている反日の感覚、そしてその現れ方についてだ。いくらなんでもおかしいだろう、ということばかりである。

この章では、私や周囲の仲間が直接大きな「被害」を受けた「NO　JAPAN」を始め、「慰安婦」問題や「元徴用工」問題、旭日旗や竹島問題などを巡る韓国側の動きが私にどう映っているのか、そして日本人がこのような韓国にどう立ち向かえばいいのかについて述べていきたい。

また、私の執筆記事がインターネットに掲載される際、コメント欄に質問や意見を残してくれる方も多い。特に反日に関する記事に対しては反応が多いと感じている。

話は、2019年8月2日から始まる。

文在寅大統領（当時）は、日本がいわゆる「ホワイト国」から韓国を除外したことを受けて開催した緊急閣議で、

「二度と日本に負けない。勝利の歴史を作る」と宣言した。「負けない」とか「勝利」ということはつまり、今日韓の間で起きている出来事は「戦争」であり、国家元首で国家の独立や領土の保全を守護する責務を担っている大統領自身が、経緯を自省し、振り返りもしないで、国民に向かって「二度と負けないように奮起せよ」と対立をあおっていたわけだ。

ところで、その直前までの韓国社会は、まさに「日本ブーム」といっていいくらいの状況だった。

海外旅行先と言えばまず日本だ。安くて短期間でも楽しめて、北海道から沖縄まで、都会にも地方にもさまざまな目玉がある。インフラは整い治安もよく、人は親切でぼったくりもなく、グルメや温泉など個人旅行にも家族旅行にも向いている。何度も日本を旅行するリピーターになる人も多かった。

日本旅行の楽しみの一つは食である。現地で本物の味を知ってしまった韓国人の舌はますます肥える。韓国国内でも本格的な日本料理店が続々誕生し、もうかる外食の業態といえば日本料理店や「居酒屋」業態の酒場だった。他にも、日本製品、日本のブランド、日本のアニメやマンガ、日本のキャラクターが大きな人気を集めていた。

なにせ「反日」の先頭となっていた曺国《チョグク》元法務部長官（法務大臣）が退任記者会見の際に使っていたボールペンが日本製だったり、同氏と息子が、収監された曺国氏の妻と面会した際、息子が着ていた服が日本製であることがバレてしまったり、といった笑い話もあるくらいだ。

それが、文在寅前大統領の宣言により、一変してしまった。

文在寅氏を熱狂的に支持する人々〈批判的に見ている層からは「文派《ムンパ》」とか「テッケムン（「頭が割れても文在寅（を支持する）」の略などと呼ばれている〉は、「反日」に熱狂した。「二度と日本に負けない」ために、できるだけ日本製品を買わず、利用しないように呼びかけ始めた。

当時登場した有名な反日不買運動のロゴには、

NO　JAPAN　ボイコット・ジャパン　行きません。買いません。

と書かれていた。

買ってはいけない日本製品、実は日本製品だったブランドなどがネットで共有された。

中には、ガス機器のリンナイやスポーツ用品のデサントなど、韓国人にとってもはや長年慣れすぎてしまい、多くの人が日本のブランドだとは知らなかった会社もあった。

文在寅政権支持者たちの行動はすさまじく、マスコミもこの動きを細かく伝えた。結果として、それまで反日的だった人はより先鋭的になったし、それまで日本旅行や日本製品、日本食を楽しんでいた普通の人たちは、周囲に知られないよう注意深く行動するようになった。

その反応は人によって違った。とりあえず日本に関する購買活動を全て控えて様子見をする人もいれば、日本ブランド（例えばユニクロ）の店頭に行くことは控えて通販を利用する人もいる。日本旅行を仕方なくキャンセルしてベトナムなどに行き先を変えた人もいれば、日本旅行には予定通り行ってもＳＮＳにアップすることは控えた人もいた……といった具合に。

「ＮＯ　ＪＡＰＡＮ」で新規案件が吹き飛ぶ

私は当時、菓子から始まった日韓企業間の貿易や、日本ブランド飲食店を韓国に誘致するコンサルタントがメインビジネスだった。

すでに菓子はビジネスの「旬」は過ぎていた。有名ブランドの多くが韓国に進出し、韓国人にも十分に行き渡っていた。10年前は日本の菓子の味に驚かされた韓国人もだんだん口が慣れてくるし、韓国国内でも徐々に日本に近いレベルの製菓メーカーや菓子店が現れ始めたからだ。

そこで私が手がけたのが、まだ韓国に進出していない日本の有名外食ブランドと交渉し、韓国側に誘致するビジネスだった。

私はかつて複数の財閥系小売グループを相手に並行して仕事を進めていたが、その時点ではある一つのグループのほぼ「専属」となっていた。さんざん詐欺に遭ってきたこともあって、相対的にクリーンなその企業の風土、文化が好きだったし、私の努力の成果がそのままその小売グループの競争力強化につながるのもやりがいが感じられたからだ。

当時進めていたのは、北海道の有名なスープカレー店のブランド誘致だった。北海道は韓国人に人気の観光地だし、スープカレーもラーメンと並んで名物として知られていた。この案件は、技術の提携と店名の使用で話がまとまりつつあった。当然韓国初進出となるはずだった。

もう一つは、日本人なら誰でも知っている寿司の有名チェーン店の韓国本格進出だった。こちらは当初、韓国百貨店側が独力で交渉をしていたものの、経営者は冒頭から日韓関係に関する不満をぶつけてきて、ビジネスの話をしに来たつもりの若いバイヤーは、思わぬ展開にショックを受けていたところだった。

そこで私が間に入ると、その経営者はただ韓国が嫌いだというわけではなく、本音では乗り気だが、条件面も含め、韓国側の「本気度」を試しているのだということがよく分かった。このあたりの日本人の考え方は、なかなか現代の韓国人、それも若い人たちには理解できないのだろう。

コミュニケーションがうまく進むようになり、寿司チェーン店側はその小売グループ系列独占で数十店舗規模で出店する意思があること、そして韓国側も破格の低いテナント料を提示することで交渉はまとまった。日本と変わらないクオリティを維持するための店舗作りや食材の仕入れ、流通ルートも、韓国で大々的に展開する際のマーケティングも、度重なる現地視察を経てメドがついた。

2019年夏は、いよいよ仮契約を経て本格始動へ……となるはずだった。

「NO　JAPAN」とともに韓国でよく語られた「流行語」がある。「この時局に……」

という枕詞だ。「時局」というと日本語では硬く古くさい表現だが、韓国では普通に使われる。要するに「こんな状況下で……」というニュアンスで、つまり「日本に負けてはいけない現在の状況下で、このようなことが許されるのか？／こんな行動をしてもいいのか？」というパターンで使われたわけだ。

韓国の小売グループも、同じ判断をした。もちろん苦労してここまで調整を続け、実現直前までこぎつけたのだから惜しいにきまっているが、「この状況下で、日本の有名ブランドを招致して、大々的に広報することが許されるだろうか？　さすがに標的にされるのではないか？」という判断を迫られたわけだ。

そしてコンサルタントの私は、2社の案件を合わせて1000万円近い成果報酬が夢と消えた。個人的にも、両ブランドが韓国でどれだけ話題を呼ぶか、どんな受け入れられ方をするかは、実際にこの目で見てみたかった。

反日爆発の中で「得たもの」とは？

私にとってよりシビアな問題は、ビジネス自体が成立しなくなったことだ。このほかにも進んでいた案件も全て白紙に戻り、新案件も入ってこなくなった。

もちろん、レギュラー的な案件というそれまでの「貯金」でどうにか生活は維持できたが、展望もなければ夢もない、お先真っ暗の窮地に追い込まれた。

つい数カ月前までの状況が信じられないくらいの一変ぶりだった。私なりにがんばってここまで生きてきたけれど、政治の都合によって、これほどまでに簡単に生業がひっくり返ってしまうとは、夢にも思っていなかった。

政治家の号令一つで国民が変わる。互いに様子をうかがい、はみ出た行動をして後ろ指をさされないように気を遣う。そんな韓国社会や国民の様子はまさに「独裁国家」だった。まるで朝鮮学校の先生が発する号令と、その顔色をうかがう生徒の関係のようだった。

この感覚は、朝鮮学校出身の在日特有のものなのだろう。韓国に住んでいる普通の韓国人にいくら詳しく気持ちを話しても、一切といっていいほど共感を得ることができなかった。

この状況を、あえてポジティブに捉えることもできないわけではない。

私は「NO JAPAN」の混乱と熱狂の中で、誰が本物の「反日思想者」なのか、はっきり見分けができるようになった。また、決して骨の髄から「反日」なのではなく、仕方なくお付き合いしているだけ、「反日」の感情が湧かない、あるいは日本が好きだという態度が目立たないよう注意しながら身を潜めているだけの普通の韓国人もたくさんいることを知った。

また、文在寅前大統領のおかげで、韓国という国、とくに韓国左派の実態がようやく日本人一般にも広く認識され、警戒心が浸透したことの効果も見逃せない。

そして、本書の冒頭で述べたように、同じ在日の後輩と共同で、韓国国内での日本語の書き手を取りまとめるビジネスを開始し、私自身も原稿を書くようになったことも積極的な人生の変化になった。

もちろん、今も本業は日韓貿易コンサルタント、外食をメインとしたコーディネーターであってその他の仕事は「副業」だが、この「業態転換」が2019年のうちにできたおかげで、2020年のコロナ禍をどうにか切り抜けることができた。日本在住の日本人や在日、脱北者など、今まで以上にさまざまな人と知り合うことができたのもうれしい。

この点で私は、文在寅氏と「NO　JAPAN」に感謝しなければならないのかもしれない。

「NO　JAPAN」の耐えがたい軽薄さ

あれから4年近い日々が経過した。コロナ禍が世界を襲い、「NO　JAPAN」どころか日本そのものに簡単には渡航できなくなってしまった。それ以前に、「未知の感染症」への対応に持ちきりで、2022年には大統領選挙も行われた。「NO　JAPAN」は新しいニュースの中に埋もれていき、焦点はだんだんとぼやけていった。

ただ、本当は最初から「NO　JAPAN」はウソだったのかもしれない。

韓国の車好きの間では、こんな笑い話がある。ある交差点で3重衝突事故が発生し、運転手同士が三つ巴でケンカをしている。よく見ると、プリウスとプリウスとプリウスの衝突事故だった……。

韓国国内にも日本車、特にトヨタ車を支持している人が少なくない。プリウスは人気車種だし、左派の大物政治家がレクサスに乗っていることを暴露されたりもしていた。そこで「NO　JAPAN」支持派は、当時ちょうど韓国のナンバープレートの前のケタが3ケタ化したことに併せて、「3ケタのナンバーを付けた日本車は、『NO　JAPAN』を無視してこの時局にわざわざ日本車を買った人なので非難しよう（逆に2ケタの日本車は見逃してもいい、ということ）」などという論法を編み出していたり、既存の日本車オーナーは慌てて愛国的なステッカーを車に付けたりしていたのも面白かった。中には「日本車に乗ってすみません」というステッカーを自作し、いたずらされないようにしていた韓国人もいた。

ソニーのプレイステーションの新型や任天堂の新しいゲームが発売されると、人目を気にしながらも行列を作る人も多かった。こうした製品は、「韓国製品には代替品がない」という理由で何となく許された感じだった。

つまり不買運動も、あくまでご都合次第。矛盾だらけなのだ。

そして2022年秋にはいよいよ日韓両国で一般の旅行も解禁され、再び観光客が行き来できるようになった。

この間、政権は「二度と日本に負けない」の左派・文大統領から、日本に対して「共に歩む隣人」としている保守の尹錫悦大統領に変わった。

そして現在の韓国では……ほぼ何事もなかったかのように、再び日本製品を買い、日本料理や日本旅行を楽しみ始めている。「NO　JAPAN」以前の状況に戻ったと言っていい。

江南の日本食店は大賑わいだ。日本酒やハイボールで乾杯し、高級寿司の「おまかせ」店はなかなか予約が取れない。ちなみに、「おまかせ」は日本語の発音のまま韓国社会にすっかり浸透した。それまでは、決まった額でシェフの裁量に任せ、シェフも自分の店の看板を背負ってそれに答えるという注文方法の概念自体が韓国になかったからだ。

日本旅行は大賑わいだ。円安だから、石油価格の高騰で航空券が高く遠くには行けないから……いろいろ背景や理由、あるいは言い訳があることは承知している。ただ私だって、日韓の間の往来が盛んになれば、自分のビジネスにも有利になることは間違いなく、別に反対したいわけではない。

「3歩歩けば全て忘れる」という特技

水を差すつもりはないが、それでも、韓国人の無責任ぶり、軽薄さにはあえてひとこと言いたくなる。

「NO JAPAN」と言っていた人は、今どこで何をしているのか？ 当時はやりたい放題、好き勝手に振る舞っておいて、今は日本酒を飲んだり、日本のアニメ映画を見たり、日本で温泉に浸ったりしているのだろうか？

ただ単に無責任なのか、はたまた鶏のように、3歩歩けば忘れてしまうのか？　あるいは、反日もファッションの流行みたいなものなのか。

韓国で暮らすと、周りすべてが「お調子者」に見えて、日本で培った自我を保つのにも一苦労だ。

驚くべき事実も知った。

「NO　JAPAN」の中で、不買運動の要の一つになっていた情報サイト、「ノーノージャパン」が、2022年3月で閉鎖されていたのだ。

現時点でサイト（https://www.nonojapan.com）に残されているのは彼らの立場だけ。中身はこういうものだ。

「こんにちは。ノーノージャパンの運営者です。2年8カ月間ノーノージャパンをご利用いただき本当にありがとうございます。ノーノージャパンは2022年3月11日をもってサービスを終了しました。

2018年10月の日帝強制動員賠償判決後、日本の輸出規制が始まり、日韓の葛藤が高まりました。社会とマスコミの関心が日韓葛藤に集中し、いざ謝罪と慰労を受けなければならない強制動員被害者の方は忘れられるのが悲しかったです。それで私はノーノージャパンを作りました。

日本製品に代わる情報を提供するだけでなく、正当性に関心を持つ人がいることを証明したかったのです。とてもありがたいことに、557万2024人の訪問者が18万5734時間をかけて微弱だった証明に力を貸してくださり、完成してくださいました。

ある人は不買運動は長続きしないと言いました。しかし、私たちは今、不買運動を超えて代替できる製品を探すのが習慣になりました。日帝強制動員被害者に対する慰労と補償はまだなされていません。しかし、被害者補償のために日鉄（著者注：日本製鉄）の国内資産に対する強制売却決定が12月に下されました。

このような変化にもかかわらず、ノーノージャパンサービスを終了するのは『不買』という否定的なエネルギーに基づいた声を止めるためです。不当さに対する怒りと正当性に対する叫びが、今は平和を守り、お互いを理解しようとする努力に昇華されることを願います。これからは『不買』というキーワードを越えて『平和』と『理解』という単語に基づいて肯定的なエネルギーに力を加えようと思います。そうしてこそ、より良い明日に進むことができると信じているからです。改めてノーノージャパンを共にしてくださった方々に心より感謝申し上げます。この間施してくださった関心と愛情に応えるために最善を尽くします」（訳は著者、一部抜粋）

これ、意味分かりますか？

どういう理屈なのだろう。

私は、代替製品のない製品も多数知っているし、そもそも真面目に代替商品を探している韓国人に出会ったこともない。従ってこのサイト閉鎖は、存在が無意味だったこと、そして無意味な不買運動の終焉を物語っているだけだ。本当に存在意義があるのなら、今後も継続しているはずではないか。

当初反日不買をあおり、成果を誇っておきながら、どうして「今は平和を守り、お互いを理解しようとする努力に昇華されることを願います」などと言えるのだろう。ならば最初から「お互いを理解する努力に昇華すべき」ではなかったか。まずは自分自身を批判するべきではないのか。

あえて聞きたいが、「元徴用工問題」の行方はこれからなのではないか？　あなた方は今こそ「日帝強制動員被害者」のためにがんばらなければならないのではないのか？

さんざん日系企業をつるし上げ、日本への憎悪をあおっておいて、状況が変われば自己弁護を並べて消えていく。私は自分自身のビジネスが妨げられたから怒りが収まらないだけではない。このサイトでは、私の知人が経営している日本のラーメン店である京都・豚人《ぶたちゅ》まで吊し上げられ、大きな影響を受けていた。

政権が変われば全てが変わるのが韓国だ。こうして左派を批判できるようになったことは評価したい。一方で当時、私が経営する会社から韓国の大手メディアに「NO JAPAN」を批判する記事を送ったところ、「コンプライアンス違反になるので掲載できない」としてボツになってしまったこともある。あのときはダメで今はいいのか。日韓を取り巻く状況は変化がないのに、あのときは日本製品を買ってはいけなくて、ラーメンを食べてもいけないのに、今は日本旅行に出かけてもいいのか。

私はいつも思う。こういう点は、韓国人は実に無責任である。

自分の中に何ら根拠がなく、長いもの、強いもの、そして周囲の雰囲気に流される。その流れが終わると、それまでのことなどまるでなかったかのように忘れ、開き直る。

それでも、日本の読者の方にお願いしたいことがある。観光旅行で日本を訪れている韓国人が急増しているが、どうか「普通の韓国人」である彼らには、不満をぶつけないでほしい。本当に追い詰めなければならないのは、大きな声で反日をあおっている一部の集団だ。彼らが弱体化すれば、こうしたことはだんだん起こりにくくなっていくし、反日の愚かさが知られるようになるからだ。すでにその兆しは見え始めている。

結局「NO JAPAN」で損をしたのは韓国人

なぜなら、不買運動で最も損をしたのも、結局は韓国人だからだ。

わかりやすく対象になった「反日不買」のブランドとして、アサヒビールとユニクロが挙げられる。

韓国人の日本ビール愛は強いが、ビール自体は韓国でも製造しているし、輸入ビールなら欧米や中国のものもある。

ユニクロも同様だ。品質はさておき、ファストファッションのブランドなら、韓国発祥のものもあるし、他国のものも存在する。

ところで、韓国でアサヒビールを販売しているのは、日本のアサヒビールではなく、合弁企業の「ロッテアサヒ酒類」という韓国企業だ。出資比率は日本のアサヒHD、韓国のロッテ七星《チルソン》飲料が半々だ。

韓国でユニクロを展開しているのは、やはり日本のユニクロ（ファーストリテイリング）ではなく、FRLコリアという合弁会社だ。出資比率はファーストリテイリング51%、ロッテショッピング49%である。

そして、両社や関係する企業が雇っているのは、ほとんど韓国人である。つまり、2019年、反日不買の影響でリストラに遭い、仕事がなくなったのは韓国人だったのだ！

ロッテアサヒの売上を見ると、「NO　JAPAN」直前と比較して86%減、韓国ユニクロは同じく直前は187店舗展開していたのが2021年夏では134店まで減少、売上もほぼ半減した。

不買運動に熱心だった人たちは当時、こうした成果に喜んだことだろう。

だが、日本側から見ると状況はまるで違う。韓国の売上から得られる収益の割合は全体のうちわずかであり、それが半減しても8割減っても、日本本社の業績にはほとんど影響しないからだ。結局とばっちりを受けたのは、リストラされたロッテアサヒの社員（立場の弱い契約社員が多かったという）や、韓国国内のユニクロ店舗で働く店員たちだったわけだ。

余談だが、韓国国内にも根強い「ユニクロファン」がいたことを、私は見逃さなかった。不買運動の最中、「+《プラス》J」という、ユニクロとジル・サンダーとのコラボ商品欲しさに行列ができているというニュースを聞いた。そこで早速近くの店舗を訪れて並んでみると、隣にいた韓国人の大学生2人組が、「こっちの店のほうが列が短いね！」などと話している。そこで話し掛けてみるとある有名大学の学生で、大学の近くにもユニクロの大型店があるのだが、そこで買い物をして同じ大学の面倒な連中にバレてしまうとバツが悪いと思い、わざわざ30分も電車に乗ってこの店まで来たのだという。当時、ユニクロの店の前では、許可の不要な「1人デモ」（サンドイッチマンのようにスローガンを掲げ、1人で立っているスタイル）をして、入店する客を「威嚇」しているケースもあった。

話してみるとかなり日本びいきの子たちで、私も「こんな時局に」うれしくなり、連絡先を交換して別れた。すると数日後連絡があって、こんな話を教えてくれた。

「社長！　実はうちの大学で反日不買運動をしている有名な女の子がいるんですけど、今日彼女が、こっそりユニクロのヒートテックを着ている姿を見てしまいました……どうしましょう？」

笑ってしまった。どうもこうもなく、それが現実ということだ。

厳しい韓国の冬、値段と性能を考えれば、他の韓国メーカーの発熱下着よりも、ヒートテックが欲しくなるのが本音だろう。ただ、多くの韓国人は人にバレないよう通販にシフトした。一部の宅配系の労組はユニクロの箱は運ばないなどと行っていたが、結局は止まらなかった。

その影で、実店舗からは人が消え、応対する韓国人従業員は仕事を失ったのだった。

日本好きの韓国人が急に「反日」になる理由

前にも述べたが、韓国人の雑談でよく語られているテーマの一つは、内容の良し悪しにかかわらず日本に関することだ。韓国はとにかくカフェが多い国だが、私はソウルでカフェにいるとついつい韓国人の会話に聞き耳を立ててしまう。

中身は、政治（日韓関係、日本の政権、あるいは韓国政権の対日政策の批判）だけではない。ビジネスも、観光や文化もごちゃまぜである。

たとえば反日デモや左派のデモを見学に行き、会場の近くのカフェで休んでいると、そのデモの主催者や強力な支持者たちがいて日本の話をしているケースがある。彼らは場合によって相手が日本人だとわかると絡んでくるケースもあるので、念のため注意したほうがいい。

一方、学生街で若い人たちが話している日本は、カルチャーや食べ物など、軽めの話が多い。

また江南のビジネス街では違ったテーマになる。何やらミーティングやアイデア出しをしているビジネスパーソンは、パソコンを開きながら「日本の場合は……」「日本ならこういう風に……」などという打ち合わせをしているシーンを見かける。日本はライバルであるとともに、わかりやすい比較対象なのだ。韓国社会の問題を指摘するニュースでもこういった論法をひんぱんに見かける。

私もそうだが、おそらく日本の読者の皆さんも、一般の韓国人は果たして反日なのか、そうでもないのか、あるいは日本に一定の好意を持っているのか、よくわからなくなるのではないだろうか。

現時点での私の「体感」をお伝えすると、理解に苦しむレベルの反日を押し出している韓国人はそれほど多くはない。ただし彼らは、人一倍声が大きく組織力も強いので、普通の韓国人は気にせざるを得ないし、日本人の目には実態以上に韓国が「反日国家」に見えてしまう。また、それこそが反日勢力の狙いでもある。

しかし、日常生活で見る一般の韓国人にとっての日本は、おおむね好意的な対象だと思う。信じられないかもしれないが、韓国人はおそらく世界で最も日本に好意的だと言っていい。そもそも、何らか日本を好意的に考えていないのなら、いかに近かったとしても、人口5000万人の国で1年に750万人も日本を訪れはしない。

それがなぜ、時として180度逆向きになり、「NO JAPAN」のように燃え上がってしまうのだろう?

理由はいくつか考えられる。

まずは、5年に一度やってくる大統領選挙だ。保守と革新(進歩)の間で政権交代すれば、社会そのものの流れが政権に合わせて変わってしまう。現在は保守かつ日本やアメリカとの関係改善に熱心な尹政権だが、将来左派が政権を奪還すれば世間もそれに習うだろう。

それでも、自らの信条に則って声を上げる勇気のある人だっていないわけではない。ただ、大げさではなく社会的に抹殺される覚悟を持たなければならない。普通の人なら、立場や生活までかけて政権や社会の風潮に逆らったりはしない。下手をすれば10年単位で社会的地位、あるいは人生を失いかねない。

もうひとつは、すでにかなり豊かになった韓国人（むしろ自分たちがそう自称している）の中に、かつての日帝時代（日本統治時代）がいまだ、「当時は国が弱く、強い日本の言いなりだったが、今はそうではない」というねじ曲がった意識があるからだ。これを元にすると、日本に対してなら約束を守らなくても、ちゃぶ台返しをしても構わないし、どんなにずるい手を使おうと勝つことが重要視されるようになる。その代わり、外交や国際政治では必ず守らなければならない責任を簡単に放棄し、過去に決着を見た話題を蒸し返そうとする。

ここには、保守政権や軍事政権が結んだ日本との約束は、二重の意味で軽視・無視しても構わないという左派側の意識も重なる。

韓国人にとって韓国は、「偉大な大韓民国」だ。だが私の目には、韓国人自ら自分の国の「国格」と「民度」を下げているようにしか見えない。本当に先進国になったと思うのなら、そろそろ反日で韓国が失っている国際的信頼感がどのくらいの大きさなのか、考えてみるべきだと思う。

日韓問題は市民団体のやりたい放題だった

また、在日3世の私が反日の韓国人に対して抱くもっとも強い違和感は、そもそも現代の、それも若い韓国人がなぜ反日を語るのか、語れる資格があるのか、ということだ。

これは私自身も韓国に渡ってから見えた問題である。

「慰安婦」問題でも、「元徴用工」問題でも同じだ。若い韓国人が日本を責め立てているのを見ると、あなたが慰安婦であったわけでもなく、徴用工であったわけでもないのになぜ怒っているのか、誰の目線で話しているのか、聞きたくなる。

仮に慰安婦だった事実、徴用工だった事実があったとして、その子孫が債権を引き継ぐことはできたとしても、子孫だろうと当事者性は引き継ぎようがない。財産でもないし、実際本人は経験もしていないのだから。

それでも、実の親や祖父母の話ならまだ理解できないでもないが、なぜ何も関係のない現代の韓国人が、「慰安婦」問題や「元徴用工」問題を担いで反日を叫ぶのだろう。そんな代弁はする必要はないし、そもそもする権利がないではないか。

結局、反日は市民団体、左派団体の「道具」として、やりたい放題に使われてきたのだ。私は数多くの左派団体の反日デモを「見学」して、そう確信した。

反日デモといえば、年に2度、「3・1独立運動（1919年）」が始まった3月1日（三《サ》一節《ミルジョル》という祝日）と、日本では終戦記念日に当たる8月15日（韓国では日本統治からの解放を祝う光復節《クワンボクチョル》という祝日）が定番だ。全国から市民団体が観光バスでソウルに押し寄せる。両日には政府の式典も行われ、時の大統領がどのような内容の演説を行うかにも注目が集まる。

私はことあるたび、ソウルの光化門広場からソウル駅にかけての一帯を中心にデモや集会を観察している。

左派系団体と言ってもさまざまで、学生団体、労働団体、反米団体、反日団体、親中団体、親北団体などが入り乱れ、全貌はとても見えづらい。

また、右派系団体のデモが同時に行われていることも多い。両者が交錯するとトラブルが起きやすいため、警察が壁を作ってできるだけ分離させようとしている。

私も「NO　JAPAN」ですっかり商売あがったりになった当時は、同じ境遇の在日の後輩と、左手に『反日種族主義』（李栄薫《イヨンフン》ほか著、邦訳版：文藝春秋）の本を、右手にアサヒビールを持ってデモを見物し、人知れず「親日運動」をしていたら、左派のご年配の方からずいぶん厳しい調子で言い寄られた。

韓国では左右ともに政治的な立場を明確にしているYouTubeチャンネルも多く、スマホや本格的な機材で現場から「中継」しながら主張を訴え、寄付金を募っていることも多い。

また、韓国のデモと言えば大きな旗や横断幕が定番アイテムだが、実はその印刷機は日本製だったりする。

文在寅政権当時は、地下鉄に乗っていて、ドアや壁に反日不買ステッカーが貼ってあったのにはさすがに閉口した。

地下鉄の労組の手によるものだが、いかに両国間に問題があろうと、たとえば日本の労組が山手線の車内に嫌韓・反韓ステッカーを貼ったりするだろうか。

韓国の公権力が私のブログを削除？

さらに、前にも触れた教育現場での反日再生産も続いている。日本の朝鮮学校の図書室に総連系の出版物しかなかったのはわかりやすい。だが、現在の韓国の学校でも、全国教職員労働組合（全教組）の教師の手によるものだろうが、図書室の書物に北朝鮮関連のものがあふれているという事実には驚かされる。

加えて、もっとビックリした事件もあった。

朝鮮学校に通った私には、全教組の教師たちが、反日だけでなく、反米、そして反保守（＝反韓）教育を行っている韓国の学校が、朝鮮学校そのものに見えて仕方がなかった。

私だって、世の中にいろいろな思想や政治的な立場があることは承知している。左派の人々を100％否定しようとは思わない。しかし素朴な話として、少なくとも子どもたちを育てる場所である学校で、先生の信じている思想ばかりを教え込むことがあっていいのだろうか。子どもがまずできるだけフラットな状態で社会のさまざまな仕組みを学ぶことが大切だし、先生ならまずそこに力を注ぐべきだと思う。

朝鮮学校で育った私は、大人になった今こそ特にそう思う。教える側の価値観に生徒を押し込めてしまってはいけない。

ところで、本題はここからだ。私はまだ韓国に来て間もない頃、こうした素朴な思いを発信したくて、ブログを作ってみた。在日3世である私の視点だけでなく、日本に朝鮮学校という場所が存在していること、小学校や中学校、高校でどんなことをしているのか、次の章で述べるような内容をつれづれに書き、たまたま日本にいたタイミングでアップした。ブログは韓国最大手のネイバーブログに開設した。

3日後韓国に戻り、友人や仲間に「ブログを書いてみたので、時間があったら見てね！」と連絡した。

しかし、みんな見られないという。そんなはずはないと思い、私も自分のブログをのぞいてみたら……

何と、全て削除されていたのだった。

恐らく韓国の情報機関か、その方針を受けているネイバーが検閲していて、削除したのだろう。私は何となく事情が飲み込めた。

だが、むしろ韓国人の友人たちの方がびっくりしていた。

彼らはそれまでの生活の中で、自分の書いたブログが国やプロバイダによって検閲されていて、内容によっては消される可能性があること自体を知らなかったのだ。

この顛末もまた、私には韓国社会の、あるいは韓国で受けている教育の狭さ、閉鎖性を思わざるを得なかった。

知的な好奇心がある人間なら、教える側の意図によって、限定された情報しか伝えられていないと自覚したら、自ら他のルートを使ってさまざまな他の情報を獲得しようと試みるだろう。

しかし、教えられていることが世の中の全てだと思い、何も疑わなければ、そんなことをわざわざしたりはしない。自分たちの社会は平和で穏やかで豊かで、いろいろなことはあるがまあそんなものだと思う程度だろう。その点では結局、朝鮮学校の生徒も、韓国の学校で育った生徒も同じなのではないかと感じたのだ。

しかし日本人にとっては大問題だ。一通りの「反日」のロジックは、こうした流れでいつのまにか韓国人一般に広く刷り込まれているのだろうから。

韓国人は「日本人を自らの力で追い出して」建国した。日本は韓半島（朝鮮半島）を「不法に占拠」した、日本人は「搾取」しかしなかった。日本人は「民族の精気を抹殺」しようとした。日本人は「慰安婦」や「徴用工」を「強制的に連行」した……さらに左派の教師なら、かつての軍事政権は日本と手を組んで長い間韓国を支配し富を独占した親日派の生き残りだ、今の保守政権はその末裔だ、日本は今でも韓国を攻める機会を窺《うかが》っている……こんなことを、いつのまにか真っ白な子供たちに刷り込んでいるわけだ。

本当は「強制連行」などなかったことを在日は知っている

こうして、何を言っても構わない相手である日本に対しては「やりたい放題」になってしまっているのが最近の韓国だ。

ただ、これにも在日としては強い「違和感」がある。

日韓関係における難しいテーマはいくつかあるが、一つ一つ見ていきたい。

まず「元徴用工」問題についてだが、当時の朝鮮半島から日本に労働力として渡った朝鮮人はたくさんいた。私の祖父もその一人だ。

しかし、それらが「強制連行」などではなかったことは、在日なら本当は誰でも知っている。

何も難しい話ではない。直接日本に来た当の本人、1世世代に聞けばいいだけの話だからだ。私の場合なら、

「ねえおじいちゃん！　おじいちゃんは、昔どうやって日本に来たの？」

「仕事で来た！」

以上、終了である。

大半の在日も同じだろう。自分の祖父母、あるいは両親から間接的に聞いた話として、別に強制的に、いやがるところに銃剣を突きつけられて泣く泣くやってきたのではなく、単なる出稼ぎだったことを家族の物語として知っているのだ。全員とは言わないが、9割以上はそうではないか。もちろん戦争末期に徴用令によって日本に動員された朝鮮人はいた(それを「強制」ということは、罰則のある法令だったのだから可能かもしれないが、同時期に徴用されていた日本人も立場は同じである)。ただ彼らのほとんどは終戦後すぐに朝鮮半島に戻っている。

現在の朝鮮学校では、「強制連行」はあったと教育している。しかし教えられる側はだいたい真実を知っているので、それが政治的な目的でそう教育していると理解している。

一方で韓国では、検証も行われないままに、もはや当たり前の「常識」として「元徴用工」は「強制連行」され、「奴隷のように働かされて満足に給料ももらえなかった」と信じている。そして、特に左派政権下では、この「常識」に歯向かうことは反民族的で、社会的抹殺を意味した。

尹錫悦政権は、日本企業のいわゆる現金化を防ぎながら「元徴用工」問題の解決を目指して、国内、そして日本との交渉を重ねている。ただ、日本政府の立場は、「1965年の日韓請求権協定でこの問題は解決済み」ということだ。念のため同協定第2条の条文を確認しておくと、

両締約国は、両締約国及びその国民（法人を含む。）の財産、権利及び利益並びに両締約国及びその国民の間の請求権に関する問題が、1951年9月8日にサン・フランシスコ市で署名された日本国との平和条約第4条（a）に規定されたものを含めて、完全かつ最終的に解決されたこととなることを確認する。

となっている。

しかし韓国の司法は、2018年の新日鉄住金（当時、現・日本製鉄）への判決を皮切りに、「不法な植民地支配」による「強制動員」への慰謝料は請求権協定に含まれていないと判断し、国際法と国内裁判の判決が矛盾することになってしまった。

しかし、かつて韓国政府は2回に渡って元徴用工に補償金を支給した実績がある。それも、文在寅前大統領の師匠、盧武鉉政権においてだ。

そこでは、日韓請求権協定で話し合われなかったのは「慰安婦」「サハリンに残された同胞」「原爆の被害者」であるとした。これらはその後日韓の間で個別の解決策が作られた（2015年の「慰安婦合意」はまさにそれだ）。つまり「強制動員」は請求権協定に含まれるということである。ただし、当時の政権が受け取った金額を十分補償に回さず、また社会が混乱している時代、受け取り手として名乗り出る人も多くなかった。

そこで盧武鉉政権では生存している人とその遺族に慰労金や医療費などを支払っている。韓国側でも、「強制動員」に関する問題は韓国政府の国内問題だと認識していたわけだ。

ここに介入し、いまに至るまでつきまとっているのが、左派弁護士の団体、民弁（民主社会のための弁護士会）だ。繰り返すが、文在寅前大統領もかつて民弁に所属していた。

韓国の裁判でいかに勝訴した（1人1億ウォン）とはいえ、日本政府から支払いを受けられるわけでもなく、日本国内の裁判で勝訴したわけでもなく、韓国国内の裁判に基づいて差し押さえを行えたとしても当該日本企業の在韓資産は額が知れていて、実際に差し押さえれば日韓間で政治的に大問題を起こす。しかも、私は長く活動している「強制動員被害者」団体の代表、李ジュソン氏にも直接話を聞いたことがあるが、当初は不払い賃金を返して欲しいというだけの目的だった。また原告に加わった人は、民弁側に「日本企業から多くの補償を受け取れる」と聞いて参加した人も多いのだという。

それでは、長い時間を使って何のために裁判を行ってきたのか。結局は民弁のために利用されてきただけではないのか。そんな思いを持っている人もいるのだ。

また、かつて民弁に属していたという弁護士は、「人権派弁護士の団体といえば聞こえはいいが、実社会の問題をねじ曲げ複雑化しているだけ」と話していたことも思い出す。

民弁が得たのは原告の勝利以上に、それを踏み台にした自分たちのイメージ向上、勢力拡大、政界をはじめとする韓国社会への浸透ではなかっただろうか。

盧武鉉、文在寅の２人の大統領、そして李在明現野党代表、さらにセクハラ疑惑が報じられて自殺した朴元淳《ウォンスン》前ソウル市長……確実に民弁の勢力は広がっている。

同時に、別の「違和感」もある。尹錫悦政権になって行われている「元徴用工」やその支持団体との対話や公開討論を私も関心を持って見守っているが、２０２３年１月の討論では、政権側、原告側の意見が出される中で、ある弁護士が「当事者は当然補償されるべきだが、第三者、家族や子孫が補償されるのはいかがなものか」という発言を行っていたり、左派紙として知られるハンギョレ新聞の国際部長が、「被害者の気持ちを理解した上で、もうそろそろこの問題を解決しないといけない」と話していたりしたのがとても印象的で、意外だった。

一方で、「支援団体」はマイクを握れば言いたい放題、しかも支持団体同士でマイクの取り合いをしたり、時間切れでマイクのスイッチを切られた人が床に投げつけたりしていて、見るに堪えなかった。それを見て私は妙な羞恥心が湧いてきて、一人の「在日」として、この問題に真摯に向き合ってきたこれまでの日本政府関係者や日本企業、そして多くの日本人に謝りたい、申し訳ない気分になってしまった。

最後に付け加えると、この討論会に対する韓国社会の反応は、私も驚くほど鈍く、薄い。ニュースでそれなりに報じられた割には、会議の様子を映した動画は見られていないし、一般韓国人の話題にもなっていない。

韓国人の知り合い数人に話を聞いてみたところ、「ニュースで見たけど、被害者がいなかったでしょう？　出席者は当事者でもないのに被害者ヅラして誰の話も聞く耳を持たない。誰の代弁でそこにいるのか理解できない」という反応だったのには失笑してしまった。その通りである。

もしかすると、韓国でもだんだん、このような冷静な意見が増えてきているのかもしれない。「反日」といえば何でも許され、何でも認めなければいけなかった「聖域」が崩れつつあることを喜びたい。

河野談話に「あぁ～、言っちゃったよ」

もしかすると、一般の韓国人が「反日」の裏側に気づき始めたきっかけを提供したのは、正義連と尹美香氏の実態が韓国社会に知れ渡った「おかげ」だったのかもしれない。

思い返せば長い時間がかかったものだ。1993年8月、日本政府（宮沢内閣）は、河野洋平官房長官（当時）の談話として、いわゆる「河野談話」を発表した。

その要点を確認しておくと、

・慰安所は広範かつ長期に設けられ、数多くの慰安婦がいた
・慰安所の設置や管理には旧日本軍が直接、間接に関与した
・慰安婦の募集は軍の要請を受けた業者が中心となって行われ、本人の意思に反して集められたり、官憲が直接荷担したりしたこともあった
・多くの女性の名誉と尊厳を深く傷つけた問題であり、癒やしがたい傷を負ったすべての

人たちにおわびと反省の気持ちを表明する
・その気持ちを日本としてどのように表すかは、今後真剣に検討すべき

というところだ。

当時私は日本でビジネスに忙しい日々だったが、このニュースを聞いた瞬間の衝撃をはっきり記憶している。私の心情を言い表すなら、

「あぁ〜、言っちゃったよ〜」

という感覚だった。取られてはいけない言質を取られてしまった。

インターネットもない時代、いても立ってもいられず、民団の職員で当時韓国にいた在日の先輩に韓国国内の反応を聞いてみると、案の定「鬼の首を取った」ごとくの報道ぶりだったそうだ。そして、「そら見たことか、日本は韓国側の言い分を全て認めたではないか」という材料に使われるようになった。

そして極めつけはその2年後、95年（戦後50年）の終戦記念日に村山富市首相（同）が表明した、「村山談話」である。こちらも要点を抜いておくと、

・植民地支配と侵略によって、多くの国々、とりわけアジア諸国の人々に対して多大の損害と苦痛を与えた
・痛切な反省の意を表し、心からのお詫びの気持ちを表明する

となる。私は思った。「この政府は日本を捨てたのか？」と。

「慰安婦」のウソ——朝鮮総連は知っているはずだ

もともと、90年頃までは、北朝鮮も総連も「慰安婦」問題そのものを認識していなかった。韓国での挺対協の活動を知った総連にはチャンスに見えた。具体的な「元慰安婦」をかつぎ、押し出すことができれば、かつての指紋押捺拒否運動や、祖国統一運動などに並ぶ、新たな運動の柱ができる。しかし、「元慰安婦探し」はうまく行かなかった。

私が朝鮮学校時代、「元慰安婦」のおばあさん（日本人も「朝鮮人」も）の話を聞く催しが毎年あった。

ただ、そこでおばあさんたちが強調していた趣旨は大きく2つだった。まず「戦争は悲

惨で、二度としてはいけない」という話。そしてもうひとつは、「私たちは兵隊さんと一緒に戦ってきたし、家族や親戚はそのおかげで生活できたり家を建てたりできた。別に恥ずかしい仕事をしてきたつもりはない」というものだった。つまり彼女らは性奴隷だった意識など全くなく戦後何かと後ろ指を指されることの多かっただろう人生を、自分自身で励ましているように思えた。

つまり、80年代のある時点まで、朝鮮総連や朝鮮学校では、少なくとも「慰安婦問題」を今のようには考えていなかったわけだ。でなければ、わざわざこのような内容を生徒に聞かせたりはしない。

ところが、80年代後半から日本の弁護士と韓国の女性人権団体が「慰安婦」問題を強調し始め、90年には挺対協も設立された。恐らく総連はこの動きと足並みをそろえるために、今まで関係のあった日本在住の「元慰安婦」のおばあさんたちを探し始め、日本を糾弾するよう誘ったはずだ。学校に呼んでいたくらいだから連絡先は確実に分かっていたはずだが、私たちが知っているおばあさんたちが表舞台に出てきたことはない。

ということは、日本にいたおばあさんたちは挺対協などの韓国の女性人権団体や、それに呼応した総連側のストーリーに乗ることを拒否したと考えるのが自然だろう。静かに暮らしたいという気持ちだったのだろうが、いずれにしても日本では「口説き落とせなかった」のだ。

そこで韓国内でシンボルになる「元慰安婦」が必要になった……これがその後、多くの「元慰安婦」が現れた一因ではないだろうか。私の体験を合わせて考えると、そう推測できる。

そこで総連の手引きにより、尹美香氏と李容洙氏らの「元慰安婦」が北朝鮮に渡った。その頃から急に北朝鮮メディアによって「慰安婦」問題が取り上げられ始めた。「これは日本への材料になる」と北が目覚めて、何人かのおばあさんを元慰安婦に仕立てた。

北のテレビで「元慰安婦」として紹介された高齢の女性たちを見て、少なからぬ北朝鮮の人民はひそかに言い合ったという。

「あのおばあさん、どこかで見たことないか……そうだ、我が国の大きな葬式に出てくる『泣き女』じゃないか！」

この話を私は多くの脱北者から聞いている。尹美香氏が初めて北朝鮮を訪問したとき、「北朝鮮にいた慰安婦」として数人の女性が北のテレビに登場したが、その女性たちはみんな「元慰安婦」ではなく「泣き女」だったというのだ。総連が保管している資料にはそんな真相が書かれているはずだ。

そして昨年（2022年）、「元慰安婦」と自称している李容洙《ヨンス》氏が正義連と尹美香氏を告発したのだ。その「告発」自体は、私も勇気あるものとして評価したい。まさか横から我々のような第三者があんなことを言い出したら韓国中から袋だたきにあうか、全く黙殺されるかだったろう。だから、元慰安婦の代表的存在が正義連を告発した意味はとても大きい。

まず、李容洙氏が「被害者のためにお金が使われていない」などとして正義連と尹美香氏を補助金横領など金銭的な問題を暴露した。すると尹美香氏は李容洙氏に対して「そもそも当初、李容洙氏は、自分ではなく彼女の友人が慰安婦だったと言っていた」と、自爆に気付かずに暴露し返したのである。つまり尹美香氏自身は自分が慰安婦として連れてきた李容洙氏が実は慰安婦ではなかったと知っていたと言ってしまったのだ。つまり2人ともとんでもないウソつきだったということになる。

繰り返すが、この話は推論である。でも朝鮮総連は全ての真実を知っているはずだ。

日本大使館前の「慰安婦・水曜集会」に「待った！」

日本人にとって「慰安婦」問題の1つの象徴になっているのは、2011年、日本大使館前に当初不法に設けられた「慰安婦少女像」と、それを取り囲んで行う毎週水曜の「水曜集会」(挺対協~正義連を中心に行われ、デモだと「外交関係に関するウィーン条約」違反だから、「記者会見」の名目にしている)だろう。

ただ、2020年6月24日以降、「慰安婦像」周辺は保守系団体が抑えていて、水曜集会側を排除した格好になっている。

これは当初、『反日種族主義』の共著者の1人、李宇衍《イウヨン》氏が水曜集会のすぐ横で1人デモを開始したことがきっかけだった。

罵声を浴び、卵を投げつけられるなどの嫌がらせをされながらも、李宇衍氏が毎週1人デモを続けていたところに、賛同者が少しずつ増え始めた。実は私や在日の後輩もその中の仲間である。19年の11月末から12月初めと記憶しているが、その頃には20人近い規模になっていた。

そもそもなぜ正義連に連なる団体だけが「慰安婦像」周辺を独占しているのか、その法的な根拠はあるのかが我々の間で話題になった。現場で警察官に聞いてみると、「このデモ自体は日本大使館も承認している」という、信じられない回答が返ってきた。それでは

日本大使館前で、慰安婦の少女像設置に反対している韓国保守派の集会（豊璋氏撮影）

日本政府の立場と矛盾することは明白で、直感的におかしいと感じた。

そこで取材に来ていた保守系ネットニュースの若い記者に私の後輩がその疑問を投げかけてみたところ、その記者は粘り強く周辺を取材し、ついにそのからくりを突き止めたのだ。

彼は所轄の鍾路《チョンノ》警察署だけでなく、上部機関のソウル警察庁や他の行政機関を、デモ申請の情報開示などを通じて調べ、さまざまな資料をそろえた。すると、ある警察官がついに真相を教えてくれた。

警察側の人事異動で担当が代わるたび、「水曜集会を初めとする日本大使館前のデモは、日本大使館も承認している」というウソと「他の団体のデモは極力受け付けない」と言うことが、長い間引き継がれていたのだ。つまり、「都市伝説」であり、警察側の左派団体への「忖度」だったのである。

むしろ私たちは、警察と左派団体側が癒着していなかったことに安堵した。そしてこの話は保守系ネットニュースから大手メディアにまで広がり、人々のなかで共有されるようになった。

そして、保守団体側は画期的な方法を考え出したのだ。

デモの申請は原則先着順である。そして正義連側はデモの申請をしていない（名目上はデモではなく「記者会見」なので）、先に保守団体が「慰安婦」像前で水曜集会を糾弾し日本を守るデモを申請すれば、反対に水曜集会はその場所ではできないことになる。

こうして、李宇衍氏の行動から始まった保守団体のデモが、今に至るまで「慰安婦」像前で行われ、「水曜集会」側は80メートルほど離れて開催せざるを得なくなっている。そこに、前述の李容洙おばあさんの暴露も加わり、「水曜集会」側の「聖域」感は急に弱まっている。

つけ加えておくと、現場にテントを張って「慰安婦」像を24時間守っているのは左派の学生集団という触れ込みだが、彼らは正義連の下部組織で、中にはとても学生には見えない年代の人もいる。

私は、座り込みをしていた学生がその場を離れたのであとをつけていったことがあるのだが、なんと彼はジャンパーを着替え、すぐ近くの在韓アメリカ大使館前に移動し、反米運動を始めたのには驚いた。

つまり、「慰安婦」問題や「水曜集会」は、反日だけでなく、反米・親北、親中を訴える人たちの道具として利用され続けてきたのだ。

今、それまでの常識が変わりつつある。

竹島問題への違和感

竹島問題に関しては、私は「違和感」しかない。それは根本的な意味での韓国側の論理に対する「違和感」であると同時に、やりたい放題されているのに事実上放置してきた日本人への「違和感」でもある。

まず、竹島問題に関して、国際法に照らしてどちらの領土かを考えれば、日本の領土としか言いようがない。これはいいとか悪いとか、昔のどの地図に何が書いてあったかなどは一切関係なく、先に日本が領土に編入したからだ。それを、1952年、サンフランシスコ平和条約の発効する直前、当時の李承晩《イスンマン》大統領の指示によって(いわゆる李承晩ライン)占拠されたわけで、韓国がどんな理由を並べても、現状は「国際法上正式な日本領を不法占拠している状態」でしかない。

問題解決のために戦争までしなくても、双方の意見の相違があるのなら、国際司法裁判所で決着を付けるべきなのに、韓国側は一切応じない。応じないのは、勝ち目がないことを知っているからだ。

竹島問題の核心は、ただこれだけである。

問題は、こうした現実をまた、「反日」の象徴として、ひとつのアイテムとして、左派が「元徴用工」や「慰安婦」同様に利用していることだ。

そして、残念だが日本側も韓国側に積極的な対応をしてこなかったし、そもそも国民の関心も薄かった。日本人は竹島問題を「独島《ドクト》(竹島の韓国側の呼称)は我が領土!」という韓国側の声が大きくなるにつれてやっと認識した。島根県が2005年に「竹島の日」を制定し、それが韓国側の大きな反発を招くまでは、日本では全国民的な関心事にもなっていなかった。この点は、長い間国民的な関心が集まっていた北方領土問題とは大きく違う。

ちなみに、朝鮮学校でも竹島問題を取り立てて学んだ記憶はない。

だが現在の韓国左派は、竹島を最大限利用する。日本側が竹島の領有権を主張することと、対中国や北朝鮮のために日本の防衛費を増額することを勝手に結びつけ、「日本は独島を取り返すために軍事大国化し、その後韓国に攻め込んでくる」などという荒唐無稽なイメージを植え付けた。

自衛隊が米軍や韓国軍と日本海上で行った訓練の海域を、わざわざ「独島沖○○キロで……」と報道した例もあった。この訓練をもって「(保守政権は)有事には日本の自衛隊を韓国国内に引き入れようとしている」などというイメージを植え付けようとする。だが実際は、日本領からカウントした方がずっと近い海域で、竹島は関係なかったりする。これもプロパガンダだ。

そして残念なのは、保守系の李明博《ミョンバク》元大統領も、任期末に人気取りのために竹島に上陸し、反日イメージを利用したことだ。左派の盧武鉉政権からの政権交代、そして企業経営者出身の李大統領には、もともとは日韓関係の回復が期待されていたのに。

こうして、竹島は韓国の実効支配が続いている。

竹島を巡る私のもうひとつの「違和感」は、日本人側の問題だ。

竹島に関する記事を私がアップすると、よくコメント欄に「竹島はどちらの領土だと考えますか？」という質問を受ける。結論は常に本文中に書いてあるので読んでくれればいいのに……と思いつつ、在日3世の私には別の「違和感」も起きる。私は、竹島問題がここまでになってしまったのは、韓国のやりたい放題を見逃してきた日本政府の不作為にあると考えている。日本政府を動かすのは、当たり前だが日本国民だ。私は在日であって、そもそも日本の参政権がない。私に聞く前に、あなた方日本人が政府を動かすべきではないかと思うのだが。

旭日旗問題がバカげている理由

もうひとつ、現在の韓国ですぐに反日論争を巻き起こすアイテムがある。「旭日旗」だ。韓国人は「旭日昇天旗」と誤って呼んだり、勝手に「戦犯旗」と決めつけたりして、すっかりアイコン化している。国際法上正式な日本自衛隊の旗であるにもかかわらず、韓国にやってくる海上自衛隊の護衛艦に日章旗に変えるよう要求したり、旭日旗を掲揚している艦船に韓国海軍の将兵が敬礼をすればその将兵を親日派呼ばわりしたりしている。だが、意外に火が付いた歴史は新しい。

きっかけは、2011年のサッカーアジアカップの準決勝となった日韓戦で、PKでの先制点を決めた奇誠庸《キソンヨン》選手が、猿をまねたパフォーマンスを行ったことだ。「猿」は韓国人が日本人をバカにする際の隠語的な蔑称である。

同選手はスポーツ選手にあるまじき差別的なパフォーマンスをした理由として、観客席で振られていた旭日旗を見て心が痛んだからだ、としていた。

ここから火が付き、左派が反日を扇動するアイテムになってしまった。「旭日旗はナチスのハーケンクロイツと同じ『戦犯旗』なのに、関心が薄いために見逃されてきた」などとして、日本で昔から繁栄や慶事などに使われてきたにもかかわらず、全てを「軍事大国化を夢見る日本」のアイテムとして曲解するようになった。

日本でもよく知られている徐坰徳《ソギョンドク》・誠信《ソンシン》女子大学校教授は、日本だけでなく海外の企業やアーティスト、スポーツチームなどが旭日旗や同様の模様を取り入れているとすぐさまメールを送り抗議する。だが同教授は、そもそも日本問題の研究者でも、歴史学者でもない。

第一、在日米軍が旭日模様を自分たちのマークに取り入れていることに対してはどう考えているのだろうか。少し考えれば、韓国で広がっている「常識」がおかしいことなどすぐにバレそうな話である。

つまり日本人がしっかり理論や歴史的経緯をもって反論すれば、簡単に韓国側を論破できる。申し訳ない話ではあるが、今のうちにこまめに論破して欲しい。

このまま放置していると、この問題もどんどん独り歩きを始めてしまう。そして、まるで無知な韓国人が旭日旗を見たときの反応のような拒否感と、その次に起きる安っぽい愛国心が、反対に日本人にも広がるのは見たくない。私には、それは正しい愛国心ではないと思える。

バレ始めた「反日のウソ」

保守の尹政権に変わり、こうした「反日」のうそ、あるいは反米、親北のために反日が利用されてきた事実が、だんだんバレ始めてきていると感じる。「反日」している人たちには、表向きの「反日」以外に、実は別の目的があるということだ。そして、「反日」以外にも表向きのメッセージはある。「弱者を守れ」「民主主義」……そんな風に叫んでいた一例は民主労総であるが、そこには北朝鮮のスパイが紛れていることが、今韓国社会にさらされている。もっとも民主労総は光復節のデモで、北朝鮮の労働者団体「朝鮮職業総同盟」が送ってきた「連帯の辞」を朗読し、その文章をホームページに掲載し、米軍基地を回って「ヤンキー・ゴー・ホーム」デモまでしているのだから、知っている人は知っていた話ではあるが……。

それは反米であり、親北であり、あるいはそれさえも方便で、補助金や利権、社会的な地位だったり、それらを確固なものにしてくれる政権の奪還だったり……挙げ句の果てに、やりたい放題のデモやストで社会に迷惑をかけて、普通の人はうんざりしている。

正義連の内幕暴露も強烈なインパクトだった。幹部は税金やマッサージ代まで寄付金でまかない、反米を煽っているのに子どもをアメリカに留学させていた。

「弱者」のふりをし、「被害者を守る」と言いながら、私利私欲にまみれていた実態を見れば、一般の常識ある韓国人なら、「反日を押し出してくる人は、もしかしたらみんなインチキなのでは?」という警戒心が生まれてもおかしくはない。

韓国の反日には長い歴史があるし、教育で植え付けられた「常識」はそう簡単に変わらないだろう。一方で、日本に旅行に出かけていい思い出をたくさん作った人、料理やインフラの素晴らしさに感服した人は、自分の中にある「反日的な常識」への疑問に初めて気づく。それを、現在の韓国社会で起きている「反日のうそ」が後押しする形になるといいのではないか。

前に観光旅行で日本を訪れている韓国人に不満をぶつけないでほしい、と述べたのは、そのためなのだ。

むしろ日本人にお願いしたいのは、「韓国への無関心」をどうか断ち切っていただき、反日を増長させている集団を見逃さず、言うべきことを言って欲しいということだ。相手を間違えてはいけないのだ。

だんだん韓国社会でうそがバレ始めているとは言え、彼らは反日ひと筋何十年の、「反日完全武装」のプロである。短く考えても民主化以降、金泳三《ヨンサム》政権以降30年あまり、あるいは建国以来と考えれば80年近くの反日の歴史がある。日本人は彼らを相手にして戦う技術、覚悟があるのだろうか？

アメリカ人なら自分や家族を守るために武装もするが、日本人は反日韓国人のうそから自分を守るための技術も持っていないし、覚悟も薄いように感じる。非常に危険だ。

特にいわゆる「ネット右翼」的な若い日本人と話していると、「韓国なんて大したことはない』『あんな『民度』の低い人を相手にしなくていい」などという話を聞くことがある。私に言わせればそれこそが隙であり、慢心で弱点だ。竹島は奪われ、「慰安婦」像はどんどん増える。謝罪は無視され、条約も協定も合意も省みられない。もう十二分に韓国にだまされたのに、放置してまだだまされようとするのだろうか。

野蛮な言い方をすれば、韓国人の男性はほとんど軍隊に行っている。銃の扱いも人の殺し方も知っている。左派だって同じだし、むしろ強烈な左派ほど、日本とは違って軍関係にも明るかったりする。なよなよした日本人ならそもそも相手にならない。

日本人は早く韓国への無関心をやめ、しっかりしたメッセージを発して欲しい。日本では今やほとんど政治的な影響力を持っていない鳩山由紀夫元首相が韓国を訪れると、今だに韓国国内ではそれなりにニュースになる。韓国に対して「日本が無限責任を持てば問題は解決する」などと発言している（同調する日本人が多いとはとても思えない）が、これは左派団体に新しい「言い分」を与え、一般的な韓国人を惑わす発言になっている。

日本人全体として、しっかり責任のある立場の人が、日本の韓国に対する政策、日韓関係をどうするのか、日本として決して譲れないことは何かを、明確な言葉で韓国に訴えることが重要だと思う。それは、最近「反日のうそ」で混乱しはじめている一般の韓国人に向けて発せられるメッセージでもあってほしい。彼らが韓国国内の左派思想を弱め、打ち勝つことができれば、やりたい放題の反日は尻すぼみになり、やっと常識的な日韓関係構築のスタートを迎えられるはずだ。

私は、別に日韓友好を叫ぶつもりはない。ただ、隣にいる国として、「いい」ことは「いい」と、「悪い」ことは「悪い」と指摘し、好き嫌いをはっきり示せる普通の関係になれればいいだけだ。

尹錫悦大統領には、左派からの「親日派」批判に負けず、李明博元大統領のように支持率に惑わされることもなく、日韓関係の改善に引き続き全力で取り組んでくれることを期待する。

むしろ文在寅政権に感謝し、李在明政権を期待してみる？

といいながら、今後も日韓には紆余曲折があるだろう。

多くの日本人も心配しているだろうが、いくら尹政権が日韓関係を改善しても、次の政権もそれを継承するとは限らない。韓国が最短で5年に一度、全く違う国になってしまうことはすでに述べたとおりだ。

まず、しみじみ感じるのだが、今こうして日韓関係を当たり前のものに戻し、少なからぬ日本国民に韓国左派の危険性を「教えて」くれた文在寅前大統領には、感謝すべきなのかもしれない。

特に文前大統領は、理想論ばかりで能力がなかった。「二度と日本に負けない」と言い放っておきながらあまり状況は変わっていない。常識のある国民なら日本に勝っていないことを知っているし、今になれば、そもそもなぜ負けない必要があるのか分からない。スローガンだけは立派な左派が、実は金まみれ、インチキまみれなことを、曺国氏や尹美香氏、そして李在明氏に至るまで細かく教えてくれた。彼らが反日を打ち出し続けたおかげで、だんだん韓国でも、「日本は何度も謝罪しているのでは？」「徴用工問題は、どんなに悔しくとも65年で解決していたとしか考えられないのでは？」「つい最近結んだ慰安婦合意を事実上破っておいて、日本が韓国を信じること自体難しいのでは？」という、ごく当たり前の考え方が存在することを思い出させてくれた。

だが、左派がこれで完全に衰退するとも考えにくい。日韓関係を回復しようとする尹政権には常に「親日派」のフレームで批判してくるし、何よりも教育で長年植え付けられた反日思想がある。何かの偶発的なきっかけでそれが再点火することは十分にあり得る。

考えてみれば、確かに支持率が高くなかったとは言え、朴槿惠政権が弾劾・罷免までされてしまったのは、偶発的な事件があったからだ。本来そこまでの大問題と呼べるかどうかは別として、ついてしまったロウソクの火は止められなかったわけだ。

ならば、暴論かもしれないが、いっそのこと２０２２年に僅差で尹錫悦大統領に敗れた李在明氏が次の大統領になったらいいのではないか。むしろ長期的にはそのほうが日韓関係に有効なのではないかと想像してしまう。

無論、李在明氏が大統領になったなら、徹底的な反日政策を行うだろう。ただし、彼らは極端な左派である。反資本主義的政策、反米政策、親中政策にまい進するに違いない。何せ口が悪いことで知られ、また人気を集めてきた政治家である。日本に対しては一段と言いたい放題、遠慮なしの悪口をまき散らして、日韓関係はいったん完全に破壊されてしまうだろう。

そこで、ようやく韓国国民は自分たちの中にあった常識に気づく。そこまでして日本やアメリカを嫌う必要はあるのか？　日本旅行で見た、穏やかで親切で豊かな日本は幻だったのか？　これで韓国がもっと豊かになり、自分たちの生活がよくなるのか？

そんな考えを、一般の常識的韓国人が、左派のせいで深く傷つきながら、しみじみと体感する――その「絶好の機会」を提供してくれるのは、李在明政権なのかもしれない。

やっぱり左派はダメだ。国益にもならず、国民生活の役にも立たず、よく考えたら自分の中に反日も反米も、ましてや親北、親中なんていう気持ちはないではないか。そこに深く気づき、完全に目を覚ましてから、本当の日韓関係の改善が始まる――のかもしれない。

第4章

「在日3世」が明かす「総連・朝鮮学校への違和感」

私は朝鮮総連幹部の家に生まれた「在日エリート」

最後の章では、やはり日本人からよく聞かれる朝鮮学校や、朝鮮総連傘下の在日社会とその「違和感」について述べていきたい。

繰り返しになるが、在日の社会や朝鮮学校も、「在日野蛮人」の私を生み出した「ふるさと」ではある。しかも私は、少し嫌な言い方をすれば、朝鮮総連幹部の家系に生まれた在日3世の「エリート」だった。

つまり、どのようにして「エリート」が「野蛮人」に「進化」していったのか、あるいは朝鮮総連、朝鮮学校からの視点では「転落」していったのかをご紹介していくことで、朝鮮学校、そして現在の在日社会が抱えている問題点を、読者の皆さんにも共有していただけるのではないかと思う。

なお前もってお断りしておかなければならないが、私が日本でいう小・中・高校に相当する12年間通った朝鮮学校の様子は、当然にあくまで私が子どもだった当時のものだ。70年代~80年代の話であって、現役の朝鮮学校生徒たちに聞くと、現在では教育内容や学校そのものの状況、そして生徒たちの「気質」も大きく違っている部分があるという。後でも述べるが、私は最近、現役、あるいは卒業してから間もない朝鮮学校の後輩たちからいろいろと現状を聞いているので、最新の状況も分かる範囲で盛り込んでいきたい。

そして、両者を比較したシンプルな結論としては、今の子どもたちの方が断然かわいそうだ。

こう聞くと、すぐに「日本社会が朝鮮学校や生徒たちを差別しているからだ」「なぜ朝鮮学校を教育無償化の対象にしないのか」と言い出す人がいる。

だが、そういった考え方は全くの的外れだ。

むしろ、そういった問題として考えること自体が本当の問題の存在を隠し、朝鮮学校に「通わざるを得ない」子どもたちの成長や学びの機会、自分らしい人生を生きるための場所を奪ってしまっていることに、どうか早く気づいて欲しい。この章を最後まで読んでいただければ、きっと理解していただけるのではないだろうか。そんな思いも込めて、あれこれ記憶を探りながら語っていくことにしよう。

朝鮮学校に「感謝」していることもある

朝鮮学校と朝鮮総連は、北朝鮮とある程度距離がある在日の組織のように見えるかもしれないが、組織運営の舵取りは北朝鮮、現在なら金正恩《キムジョンウン》総書記と朝鮮労働党によって仕切られている。

総連や朝鮮学校が国内で開催する大会やイベントも朝鮮労働党とリンクしている。つまり朝鮮総連とその傘下にいる在日、そして彼らの子どもが通う朝鮮学校は、まさに日本の中にある「小さな北朝鮮」と言えるだろう。

私が朝鮮学校に入ったのは、ごく自然な流れだった。

在日の社会では、学校に通う年齢が近くなると、日本の学校か、韓国系の「韓国学校」（ただし数が少ない）か、そして朝鮮総連系の朝鮮学校のどれかを選ぶことになる（最近は都市部だとインターナショナルスクールという手もある）。

ただ私の場合は、いっしょに住んでいた外祖父が朝鮮総連の幹部だった。父は韓国籍で民団（在日本大韓民国民団、ただし当時は在日本大韓民国居留民団といった）所属だったが、家長はあくまで祖父だったため、特に議論もなく、朝鮮学校に通わせることになったようだ。また当時の在日社会は、圧倒的に総連の力が強かった。

就学前は、一般的な日本の幼稚園に通っていた。ほとんどの幼なじみは同じ小学校にそのまま上がって行くのに、なぜ自分だけそうではないのか、悲しく、とても不思議に感じたことを今もよく覚えている。

こうして入った朝鮮学校に対して、私の心の中に小さな疑問が生まれ始めたのは、小学校に当たる「初級学校」の高学年になったころだった。それまでは同級生たちと変わらず、やんちゃではあっても「真面目な」子どもだった。

ただ、朝鮮学校には感謝していることもある。

まずは言葉を学べたこと。今韓国で、時には「在日」とバカにされながらも、どうにかビジネスをしながら日常生活ができているのは、朝鮮学校で子どもの頃から朝鮮語を学んだおかげである。それも、スパルタ式で。

当時朝鮮学校には朝鮮語以外使ってはいけないルールがあり（今もあるようだ）、日本語を話しているのがバレると、帰りのホームルームで全員の前で報告され（要するにチクリ、密告）、さんざん批判を浴びた揚げ句謝罪しなければならなくなる。みんなはその人が日本語を使ったことに怒っているのではなく、早く帰りたいのにホームルームがどんどん伸びることにいらつき始める。こうしたプレッシャーもあって、とにかく朝鮮語で話し、読み書きする訓練は一通りできるようになったわけだ。

ただし、北朝鮮で使われ、朝鮮学校で教えているのはあくまで北朝鮮の標準語(「文化語《ムヌァオ》」、平壌《ピョンヤン》の方言がベース)であって、ソウル近辺の言葉をもとに作られている韓国の標準語とは発音や抑揚、文法に違う点があるし、政治的な違いも加わって単語の使い方や種類も異なる。しかも、在日3世ともなればそれまでは日本語しか使ったことがなく、日本語と文法的によく似ている韓国・朝鮮語を学ぶときは、どうしても「日本人っぽい発音」かつ「日本語の直訳調」になってしまう。それでも、小学校以降も日本の学校に通っていたら、まず今のように韓国語を話せはしなかっただろう。

もうひとつの感謝は、広い意味での「ハングリー精神」を学び、体得できたことだ。ただこれは、学校の中だけでなく、親や祖父の生き方を見て学んだ部分も多い。2世世代までは差別もあったし、その背景が朝鮮学校の反日、反米、反韓教育で理解できたような気に、最初のうちはなっていたからだ。

金一家を崇める「革命歴史」という名の洗脳

まず、朝鮮学校の教育内容について予備知識のない方のために述べておくと、朝鮮学校も学校なので、一般的な授業、つまり国語（ただしこれは朝鮮語を指す）、算数、理科、社会……といった具合の分け方は、日本とそれほど変わらないと思う。ただし、中学からは国語の他に英語と「日本語」の授業があったし、社会については北朝鮮の社会とともに在日の社会についても学ぶ、といった違いがある。つまり、自分たち在日の先祖はどこからやってきて、強制連行され、日本社会から差別され、総連を作り……といった歴史の流れと、現在の在日社会の枠組みを学ぶわけだ。

その上で、朝鮮学校の教育における最大の特徴は、「革命歴史」と呼ばれる科目の存在だ。これは北朝鮮・朝鮮労働党の政治思想「主体《チュチェ》思想」を学ぶための専門の教科だ。一般的な社会の授業とは別に行われている。

つまり荒っぽく理解してもらうなら、朝鮮学校では一般的な日本の学校のカリキュラムに加え、「日本語」の授業と、「革命歴史」の授業が存在するということだ。ではその分一般教科の時間が少ないかというとそうではなく、日本の学校に通っている友人の話と比べれば、授業のコマ数は朝鮮学校の方が多かった。

「革命歴史」の授業は、その他の教科とは根本的に異なり、これこそが朝鮮学校の最大の特徴と言えるだろう。よく北朝鮮の学校や朝鮮学校では、あらゆるテキストの内容が「革命的」だと言われる。たとえば国語の時間に使うテキストの内容は、日本なら童話や小説、そして評論などになっていくのだろうが、その内容自体が「革命的」な教訓になっている、と言った具合だ。世界史は北朝鮮よりのストーリー仕立てになっているし、音楽の時間に歌う歌も、党や「領導者」を讃えるものだ。ただこれらの場合の革命教育は、あくまで「ライト版」である。

一方「革命歴史」の授業はずっとハードで、いわゆる洗脳教育に近い。

当時の日本の教育も受験のための暗記教育、詰め込み教育と呼ばれて問題になっていた（私も後になって予備校で経験した）と思うが、朝鮮学校はもっとすごかった。

何せ小学1年生から「マルクス、レーニン、主体思想」なのだから。

まだハングルも朝鮮語もしっかりできていないのに、たとえば金日成の演説を全て暗記しなければならないところから始まるのだ。

その上、テストになると、ある演説の一節とともに、こんな種類の問題が出る。

・この演説の続きを書きなさい
・この演説の意味を書きなさい
・この演説の意義を書きなさい
・この演説の意図を書きなさい

解答用紙として、わら半紙が３枚くらい配られる。解答はもちろん朝鮮語で書かなければならない。ある程度朝鮮語の読み書きができなければ何も始まらないので、みんな必死で覚える。道理で早く学べるわけだ。ハングルの読み書きなど、１学期くらいで十分できるようになれたと記憶している。

１学期のテスト範囲は、テキストにして30ページ分くらいある。それを全文丸暗記して、全ての部分の意味や意義や意図を「理解」した上でテストに臨まなければ、点数は取れないことになる。

注目して欲しいのは、これが小学校の低学年で行われていたという事実だ。まさか小１、小2の子どもたちに、革命の意義や意図が分かるはずもない。つまりその部分も含め、膨大な情報を問答無用で次々頭の中に詰め込み、模範解答を暗記させることこそが、「革命歴史」の「学習（信仰）」というわけだ。私たちの世代では、中学の途中くらいまで、こうした「学習」を繰り返していたと記憶している。

これは言うまでもなく洗脳である。なにせ私は小4になるまで、マルクス・レーニンが人の名前だと認識できていなかった。そして小6くらいになって初めてそれが「マルクス・レーニン」という1人の人物の名前ではなく、「マルクス」氏と「レーニン」氏という別々の人物なのだと理解できた。

現在の私は「革命歴史」を信じていないが、当時学んだ内容はまだ覚えている。似た世代の朝鮮学校出身の在日と酒でも飲めば、どこまで覚えているかでひと盛り上がりできる。

そして、最近人づてに聞いて驚いたのは、現在だとこのレベルの「革命歴史」の学習は、「朝鮮史」と名前を変えて、朝鮮大学校（東京・小平市にある、朝鮮学校の大学相当部分）で行われているというのだ。よくもまあ、そんなレベルを当時は小学生にやらせたものである。

「日本人に負けるな！」が響かない今の生徒たち

朝鮮学校では反日的な教育が行われていると言えるが、日本人が考えているような反日ではない。

というのも、朝鮮学校はまぎれもない日本の中に存在するし、朝鮮学校の生徒もその家族たちも、多かれ少なかれ日本社会と関係しながら生活し、商売をしているからだ。自分の身の回りに実際の日本があるし、それを日々感じながら暮らしているわけで、その点は韓国人の学ぶ反日とは決定的に異なる。

第一、私が出会った朝鮮学校の生徒たちを含め、多くの在日は別に日本を取り立てて恨んでいるわけでもない。2世、3世ともなれば母国語は日本語だし、日本語のテレビや映画、音楽、マンガや本を読んで楽しんでいる点では日本人と変わらない。もちろんアメリカの音楽だって同じである。私のおじさんはビートルズの大ファンだったし、私もアメリカ映画を楽しみに見ていた。

もちろん、人によっては差別を受けたり、嫌な思いをしたりすることもあっただろう。

本書でも私の母のエピソードを述べたが、2世の世代までは比較的あったと思う。

ただ、個人として「日本が、日本人が憎くて憎くてたまらない！」というパターンの人は、在日の社会でほとんど見た記憶がない。そういう子どもたちを相手に、いくら「日本人は差別をするひどい連中だ」と教えても、少なくとも社会的な意識や帰属感が強くなる高校生くらいになるまでは、リアルな生活と結びつかないので理解できない。むしろ、今私が暮らしている韓国社会の方が、この手の純粋な「ゴリゴリの反日の人」が多い。

では、朝鮮学校では日本についてどういう教育をしているのか。それは「日本社会の中で、私たちは日本人に負けてはならない」というハングリー精神教育だと言える。

ハングリー精神は、一般論としては自分にも役に立っていると言えなくもない。1人の人間として何事も一生懸命がんばって、人に負けないようにすればいいからだ。ただしこれは、何も日本社会で日本人と一緒に働いていても同じことであり、相手が日本人だから負けない、というのも何だかおかしな話である。第一、バリバリの反日韓国人のように、日本人に向かって「日本人にだけは負けたくない！」なんて言い草は、日本社会では通用しない。

本当にあった『パッチギ!』

もっとも、それは社会人となり、朝鮮学校の外、つまり日本社会に出て初めて分かる話なのかもしれない。

中学、高校くらいの年代は、自我が芽生えるし、自分たちは一般の日本人とは違う、というテーマに悩むようにもなる。私たちは恐らく、自分たちが朝鮮学校の生徒であるというアイデンティティーのもっとも強かった時代ではないだろうか。上下関係も、先輩後輩間の結束感も強かった。

私が現役だった80年代の初頭は、マンガで不良同士の戦いがはやっていたこともあるだろうが、全国のあちこち、中・高校に当たる朝鮮学校の中高級学校のある地域では、必ずといっていいほど日本の「ライバル高校」が存在し、彼らに恐れられ、あるいは攻撃の対象になり、事あるごとに殴り込みやいざこざ、トラブル、時には流血の大げんかに至る「抗争」があった。まして当時はまだスポーツでの交流がなく、朝鮮学校の生徒は「ケンカ」という方法でしか日本の中高校生たちと競えなかったという事情もあった。

私も中学に上がった途端わけも分からないまま抗争に「動員」され、殴り込みに連れて行かれてケンカデビューしていた。私はもともと体が大きかったし、柔道や空手、合気道を習っていたためにスカウトされたのだろう。ただ初めはどうしてケンカしなければいけないのか、よくわからなかった。

高校になると行動範囲も広がる。電車で通学していれば、お互いに制服を見ただけで、相手の学校が分かる。あとは「メンチ切った」でも「肩が当たった」でも、きっかけは何でもいい。

結果、駅のホームどころか、壁や天井に血しぶきが残るくらいの、本気のケンカになることもあった。電車にぶつかって窓ガラスが割れたり、電車とホームの間に相手を落としたりして運行を止めてしまい、新聞沙汰になったことも一度や二度ではない。私はうまく逃げられたが、双方捕まった生徒もいた。

映画『パッチギ!』（井筒和幸監督）の世界そのものである。ちなみに、この作品の最後に出てくる京都・鴨川の大乱闘は、多少規模が小さいものの本当にあったエピソードだということを、後年知り合いになった京都出身の日本人経営者の先輩（実際に目撃した）から直接聞いたことがある。

おかしなもので、ケンカを繰り返すうちに交流が生まれたからなのか、日本の高校同士でも抗争があるので「敵の敵は味方」だったのか分からないが、私たちと「伝統的」に友好関係にある日本の高校というのもできたりした。高校生同士一緒に遊んだり、お互いの学校生活の情報を話したりするのも楽しかった。

デモへの動員、選ばれた者だけが行けた北朝鮮修学旅行

「動員」されるのは、なにも不良とのケンカだけではない。「正式」な行事がある。それは、朝鮮総連の行うデモだ。

朝鮮学校の生徒は、中学生くらいになると、学校単位での指令を受け、朝鮮総連の活動方針に従ってさまざまな目的のデモに動員される。それも、時には観光バスに乗せられ、全国に出向く。平日に行われるデモに生徒を動員することは禁止されていたのだろうか、デモ参加時には「大人びた服装」で参加するように、学校側にお達しが来ていた。

メーデー。指紋押捺反対運動。祖国統一。いろいろなテーマはあったが、私たちは決められた場所、決められた時間に集められ、総連の指示を受けた学校関係者に言われたとお

りやるだけで、退屈かつ面倒極まりなかった。愚痴になるが、動員しているくせに飲食は自己手配なのは納得がいかなかった。

それでも当時、各地の総連は、独力で千数百人規模のデモを打てるだけの組織力があった。中学や高校ともなると数百人の生徒がいるからだ。ただ、本当にデモの趣旨を理解し、先頭に立って心から抗議していたのは、1つのデモでせいぜい数十人程度だったのではないか。私も含め、残りは全て仕方なく来ているという雰囲気だった。

今でも思い出すのは、自転車を使ったデモだ。いわゆるママチャリに乗って、なぜか80キロも走らされるのである。指定された集合場所に行ってみると、どこから集めたのか大量のママチャリが用意されていて壮観だった。

のぼりなどの派手な飾りがついている自転車は、「優等生」が乗る特別仕様だ。優等生というのは、朝鮮学校、朝鮮総連から見ての優等生、より革命的な生徒、という意味である。もっともどこの学校であろうと、先生のいいつけに何も疑問を感じず、100％信じ切っている、くそ真面目な子どもがいるものだが、まさにそんな子が先頭に立ち、張り切って走っていく。一般的な歩きのデモなら、そういう子が拡声器を持って、シュプレヒコールで大きな声を上げる係を務める。

一方で、後で述べるように、私のような「不良学生」は、デモでは烏合《うごう》の衆、数合わせそのものだ。後ろの方からチンタラついていくだけ。横断幕など持たされると、恥ずかしくて仕方がなかった。

もうひとつ、デモで忘れられないのは、私が高校生の頃、漁船で脱北してきた朝鮮人が福井に現れた時だ。私たちだけでなく全国に動員がかけられ、沖に浮かんでいる脱北者が乗ってきた漁船に向かって「祖国に背いた裏切り者！」「北に帰れ！」などと抗議するのだ。同様の事件が起これればどこでも動員されるし、私も2回行かされたと記憶している。ただ、後になってよく考えると、私たちが罵声を浴びせていた漁船に乗っていた脱北者はすでに海上保安庁なりに保護されていたはずで、まさかそこに乗っているはずはないのだ。総連だって分かっていたはずで、無人の漁船に向かって叫べというのもおかしな話ではあった。

朝鮮学校には修学旅行もある。最近の生徒に聞くと、現在では全員で訪朝するのが恒例となっているそうだが、私たちの世代では、選ばれた生徒だけが訪朝する「権利」を獲得できる仕組みになっていた。つまりそこには名誉があったのだ。

選ばれ方は、クラス対抗の「模範クラス争奪戦」である。その大きなポイントが先ほど述べた日本語禁止の徹底で、つまり密告者は他のクラスの生徒なのだ。

ほかにもいくつか条件があるが、結果として各学年でもっとも優秀なクラスが選出され、彼らが訪朝の権利を得ることになる。

私は高校生の時、一度訪朝することになった。

修学旅行だから、当然目的は学習だ。成功している北朝鮮、幸せな北朝鮮ばかりを見せられる。しかし、注意深く観察していると、前の現場にいた「普通の平壌市民」が、次に連れてこられた観光地にもなぜかいるような矛盾が透けて見えた。在日として北を訪れ、もっとも学ばなければいけない内容は、「北で暮らそうなどと考えてはいけない」ことだったのかもしれない。

朝鮮学校からやってくる生徒とはいえ、北朝鮮にとっては、自分たちの社会の外側にいる「お客さん」である。それでも最近の生徒たちの話と比較すると、私たちの時代はまだ監視がゆるかったようだ。

そのおかげで、私は北に送られ寒村で貧しい暮らしをしていた叔父と再会し、近況を聞くことができた。この話は後で改めて述べたい。

思い出すと朝鮮学校に選挙は…なかった

私の中に、朝鮮学校への疑問、あるいは憎しみが生まれ始めたのは、小学校高学年の頃からだ。それは同級生と比較しても、少し早いほうだった。もちろん、最後まで疑問を持たない人もいるのだから、私は「恵まれた」方なのだろう。

もともと私の生活には、朝鮮学校という空間への疑問を生みやすい、朝鮮学校を相対化して思考できる要素がいくつもあった。

まず、私を朝鮮学校に入れる大きなきっかけとなった外祖父は、朝鮮総連の幹部であるとともに、成功した企業経営者でもあった。私は祖父にとっての初孫で、手放しでかわいがってもらっていたが、唯一、お金に関しては独特の教育方針があった。ただお小遣いをくれるのではなく、車を洗車したらいくら、お手伝いをしたらいくら……といった具合に、お金と仕事がセットになっていることを教えようとしたことだ。

お金はがんばった結果としてもらえ、がんばればがんばっただけもらえるのだ……ここで知らず知らずのうちに、総連幹部であるはずの祖父から、資本主義の大切なルールを体にたたき込まれたのだと、今は思う。

次に、私は体が大きく、日本の不良高校とのケンカにもかり出されるくらい柔道や合気道が得意だった。実はそれを学んでいたのが、親に連れて行かれた地元の警察署の道場だったのだ。無論、日本人の子供たちと一緒に日本人警察官の先生から学んだのである。

この2つの要素には、今考えると大切な重なりがある。中学になると朝鮮学校の数が少なくなるためほとんど電車通学となるが、私は家と朝鮮学校の往復以外にも立ち寄る先がいくつかあったし、祖父からもらったお小遣いや、祖父の教育方針に従ってやっていた新聞配達のアルバイト代などもあったため、買い物や買い食いなど、一般的な朝鮮学校の生徒が出入りしない世界を複数知れる立場にあったわけだ。

また父は、小学生だった私にスキーを教えるため、わざわざ有名なスキーヤーの経営する民宿に連れて行って、直接指導を受けさせた。しかも、そこはある有名大学の体育会スキー部の合宿所としても使われていて、大学生に混ざってアルペンスキーの大回転(ジャイアントスラローム)競技を、同じカリキュラムで学ぼうというのだ。高い山の上から何百メートルも何度も滑り降り、しかも当時そのスキー場にはリフトがないのでスキーを担いで再び山を登った。家に帰った後3日間目が覚めないくらいの疲労だった。

ただ、大学生のお兄さんたちにかわいがってもらったりしたのは楽しく、日々の学校生活とは違う貴重な体験になったことは間違いない。

こうした日本人との濃厚な交流を持っている朝鮮学校の生徒は多くなかった。そして、自分の通っている朝鮮学校が、日本の小学校や中学校とどう違うのかも、同年代の日本人の友人を通して、早い段階で認識することができた。

朝鮮学校では小学校生活をどう過ごすかがとても重要で、児童会や生徒会のような「少年団」に入団した子ども（小4以降）の中から生徒の幹部役を選んで、その流れが中学、高校（「少年団」から「朝鮮青年同盟」に名称が変わる）へと続いていく。

最初（4年生）は必ず「ポスター係」を務め、5年生になると副会長、6年生には会長をやるのが「出世ルート」に当たる。また、4年生からいきなり幹部を務めるのは、日本の小学校との大きな違いではないかと思う。その道はあらかじめ決まっていて、小、中、高共通である。

ところが、そこでは生徒個人の意思や能力はあまり関係がない。親の地位、朝鮮総連における立場によって、どの子を「少年団」の幹部に指名するかは決まっていて、先生もその通り動いている。

しかし、日本人の子に聞くと、児童会や生徒会、学級委員というのは、まずはなりたい子が立候補するか生徒が推薦し、クラスのみんなが「あの子がふさわしい」と選んだ子が務める仕組みなのだという。私には「立候補する」という概念自体が理解できなかったが、聞いているうちに、何だか日本のやり方の方が正しいのではないかと考え始めるようになっていた。

なぜなら私自身が、自分の意思や能力とは関係なく、先生によって「少年団」に引き上げられる立場にあったからだ。

脱北者が教えてくれた「朝鮮学校のカリキュラムは平壌と全く同じ」

韓国で生活を始めてから多くの脱北者と知り合いになったと述べたが、交流の中でとても驚いたのは、私が当時経験した朝鮮学校のカリキュラムが、脱北者の先生方が平壌の学校で経験した内容そのものだったことだ。

平壌に住めるのは北朝鮮のエリート層である。つまり朝鮮学校の教育内容は平壌のエリート教育と同じだった、というわけだ。

国歌よりも先に学ぶのは「金日成将軍様の歌」であること。

小学校低学年から「革命歴史」を頭の中にたたき込まれること。

お互い、「なんで知っているのか？　なぜ分かるのか？」という反応で持ちきりだった。特に、暗記させられた「革命歴史」の一言一句は、お互い息を合わせて朗読できるレベルだった。

つまり、朝鮮学校で使われていた教科書（総連系の印刷所で印刷されたもの）は、元はと言えば北朝鮮の教材であり、北朝鮮側から総連に使用を指示されていたものだったということだ。そうではないかとうすうすは思っていたが、私はその事実を、40年以上後になって、日本でも北朝鮮でもなく、韓国で知った形になる。

「少年団」の仕組みもうり二つだった。平壌でも、誰が「少年団」に入り、幹部になるかは、成績ではなく親の階層、序列で決まる。

つまり、当時私がスカウトされかかったのは、私が総連幹部である人物の孫だったからなのだ。そうした仕組み自体も、平壌からコピーしてきたものだった。そう確信できたのである。

脱北者と話すことで、朝鮮総連がうそをついていた事実もわかった。北と日本の新潟を往復していた船として「万景峰号《マンギョンボン》」(初代は70年代の就航)があるが、私たちは(在日朝鮮人の北朝鮮)帰国事業に使われた船舶は最初から万景峰号だと思っていたし、そう教えられてきたと記憶している。万景峰号は総連の寄付を元に北朝鮮の船として(首領様のありがたさとして)使われてきたのだが、元在日の脱北者の中で初期に帰国した方に聞くと、万景峰号という名前自体が通じなかった代わり、帰国する船の中ではロシア人の船員がコサックダンスを踊って歓迎してくれたことをよく覚えていると話してくれた。つまり、北側は船の都合がつかずロシアの船を手配したのに、在日には北の独力で直接船を手配していたと宣伝していたわけだ。

また、脱北者の中でも地方から逃げてきた人、貧しさや飢えに耐えられなかった「階層」の人は、平壌の話、権力中枢の話とは無縁である。エリート層の脱北者、「脱北エリート」であるからこそ、北朝鮮内部の「身分制」には敏感だし、仕組み作りや人材再生産の内情にも通じている。

数多くの脱北エリートの先生方にお願いし、私たちの会社を通して原稿を書いていただいている。第1章でも紹介した郭文完氏だけでなく、山口の朝鮮学校出身で北では医師を務め、北朝鮮の医療事情に詳しい李泰炅《テヨン》氏、北朝鮮で初めてハッカー育成に携わった金興《フン》光氏《ガン》は、現在韓国で活躍している脱北エリートの方たちだ。他社の記事では読めない情報が盛り込まれている。中朝国境などの辺境から上がる情報だけでは、決して北朝鮮中枢のことは理解できない。

私が出会ってもっとも驚いた脱北者は、金正恩の母である高容姫《コヨンヒ》氏の肖像画を描いた画家の先生だった。金一家には妻子を含め1人ずつ専用の画家（第1号画家と呼ぶ）がついていて、他の画家が勝手に描くことは認められない。そして、私が通っていた朝鮮学校にも先生の手になる肖像画があったことを覚えている。そのご本人に、まさかソウルで出会えるとは思ってもいなかった。

朝鮮学校は総連の人間を再生産するシステムだ

私は、自分が12年通った朝鮮学校のことを、まともな「学校」だとは思えない。このことに、ずいぶん小さな頃から気づいてしまった。

朝鮮学校は、「小さな北朝鮮」である朝鮮総連のメンバーを再生産するシステムだ。そのために、現時点で朝鮮総連の幹部になっている父兄の子女を朝鮮学校でも「幹部」に取り上げ、お前が将来の総連を担うのだと教えていくことこそ、最も重要な目的である。

日本人の読者の中には、朝鮮総連なのだし、まあそんなところだろう、と思う方もいるだろう。

しかし、朝鮮学校に通う子どもたちには大きな問題だ。

皆さんが通った学校もそうだったと思うが、本来学校とは、平等に教育を受ける中で、本人の意思や特性に応じて力を伸ばし、自分が何を学びたいのか、何をしたいのか、どんな社会人になりたいのかを考える場所だ。成績は当然能力によるし、生徒会長は人望のある人が担う。

でも、朝鮮学校は違う。誰が重点的に教えられるかは親の権力次第。教育など二の次である。反対に、親に権力のない子が「少年団」に入りたくても、どんなに能力や人望があろうと、機会は平等ではないわけだ。まるで封建社会みたいではないか。

反対に、幹部の子どもには特別な教育を行う。「お前は特別なのだ」『お前は父親のあとを継ぐのだ』「お前がみんなのリーダーになるのだ」『お前が将来の総連を支えるのだ」……幹部の子をそう言って洗脳し、朝鮮総連の幹部として作り込んでいくことこそ、朝鮮学校の教師の「仕事」なのだ。

何せ、私はその対象だった。私が優秀だからではなく、幹部の孫だからだ。当然のように「少年団」に入るようしつこく先生に誘われ、広い意味では「期待」されていたわけだ。私も、まだ何も理解していなかった小学校中学年頃までは、その期待に応えようとしていた。しかし私は、外の世界を知っているませた子どもだった。ゆがんだ帝王学のような先生の口ぶりも嫌いだった。

私の洗脳が解けた理由

とうとう私は、少年団の途中で、「会長」になれという先生の教えを拒否してしまったのだ。

少年団に属するようになると、週に1度集まりがあり、1人当たりの持ち時間10分で毎回討論をしなければならない。まさか小学生が準備なしに10分も話し続けられるはずはないので、当然原稿の下準備が必要になる。私はそれまで薄々疑問を感じながらも少年団を続けてきたが、会長になるとさらに時間が延び、全国大会などにも出なければならないなんて、いい加減やっていられなかった。

そして、「キレた」のである。

当然、大問題になった。まさか幹部の子弟が、「会長」を断ることなど想定されていなかったからだ。おそらく全国で初めてだったのではないか。

学校から総連へ、そして総連から祖父へと連絡が行った。一度は無理やり会長にさせられてしまったが、私は無理を押し通して離脱し、結局私の学校では、下の「ランク」にいた同級生が繰り上げで会長になった。

それでも、小学生の後半から中学生になる頃の私は、今振り返っても「洗脳」されていたころの自分と、日本人に混ざり日本社会で過ごす自分の中で揺れ動き、自分でも自分をよく理解できていなかった。その象徴的な記憶がある。

朝鮮学校は、中学になると学校の数が少なくなる代わりに規模が大きくなる。いくつもの初級学校出身の生徒が1つの中級学校に集まる格好だ。

私の出身の初級学校は落ち着いていて、ともかく先生の授業は座って神妙に聞くというスタイルだったのに対し、別の初級学校出身者はうるさく、授業態度が不真面目な子が多かった。

今考えれば「純粋な正義感」が働いたとしか思えないが、私は立ち上がって彼らに「真面目にやれ！」と注意し、結果取っ組み合いのケンカになってしまった。

その後、生活指導担当の先生に呼び出しを食った。ところが、説教されるのかと思ったら正反対で、

「お前、初級学校の時に問題を起こしたのに、今はそれだけやる気があるのなら、この学校でもう一度しっかりやり通せ！」

「お前がこの学校を変えるんだ！」

と説得され、再び少年団の役員に入れられてしまったのだ。一度外れたコースに復帰するのは異例中の異例だったそうだが、家庭で再びしっかり教育を受けた結果「更生」したとでも見なされたのだろう。

ただ、困ったことになってしまった。生徒会はとても仕事が多く、学校外の活動と完全にバッティングしてしまう。私はできるだけ朝鮮学校の世界から距離を取りたくて、柔道の鍛錬にいそしんでいた。そして、柔道を優先して生徒会に出なくなると、生徒会の先輩たちから猛批判の嵐となった。

それは言葉だけではなく、せっかんを伴うものだった。だが、すでに柔道の有段者だった私は、襲いかかってくる先輩たちを全員返り討ちにしてしまったのだった。

これでよかったのかと心配にもなったが、さすがに先生も生徒会も金輪際愛想を尽かしてくれるだろう……と思っていた。

だがそこからの展開はあまりに予想外だった。報告（というよりチクリだが）を受けた先生は、私を呼び出して、こう言ってのけた。

「そうだ！　お前はやれる人間だ。人の上に立てる人間だ。だからこそ、タテ社会でも先輩を殴れる人間なのだ」

聞いた瞬間、血の気が引いた。

それでも私の心にかすかに残っていた朝鮮学校への信頼感は、この瞬間、完全に崩壊し、全ての感情が冷め切った。

学校も先生も、総連幹部である祖父の立場が強いから、むちゃくちゃな論理を編み出してどうにか私を懐柔しようとしているということが、完全に理解できた。

この事件以降、私は同級生との距離感が一気に遠くなった。

私も決して聖人君子だったわけではないが、中2の頃は、公然と下級生をカツアゲしにくる中3をボコボコにしていたため、私だけターゲットから外されていた。一方で学校の勉強全てが面倒くさくなり、仲のいい女の子に全部代わりにやってもらって、あとは好き放題にしていた。

だが中3になり、先輩がいなくなると、私は反対に同級生のほぼ全員から無視された。もっとも私も、すでに朝鮮学校での人間関係より外の世界の知り合いの方がずっと大切な存在になっていた。日本人に負けるな、日本人は敵だと教える先生や生徒のことを、完全におかしい人だと認識できるようになったわけだ。

なお、ある現役生は、現在の朝鮮学校で生徒会の幹部に選ばれる生徒について、あくまで学業優秀・運動神経良好でリーダーシップがある人が選ばれるという印象を持っていて、父兄が総連関係者かどうかは関係ないと感じているという。

ただし、委員長に当たる「班長」の場合は、ある程度「思想的に熱誠的な人」が選ばれるという印象もあって、結果として、そういう生徒の父兄は総連の関係者であるケースが多いそうだ。

北に人質を取られている在日は総連から逃げられない

現在の日本人にとって、北朝鮮は日本人を拉致し、国連決議を無視して核やミサイルを開発している恐ろしい国家だ。総連側から見ても、小泉純一郎元首相の訪朝と北による拉致の公式認定（2002年）以降、日本社会において北朝鮮を代表している朝鮮総連への視線は、政府レベルでも一般市民レベルでも、一気に厳しくなった。

本音では、少なくない在日が総連から逃げ出したいと思っている。私のような3世、ましてその子どもたちにもなれば、さすがに多くの人が北の危険性をわかっているし、自分が日本社会に生まれ、生きていることのありがたさを認識している。

ただ、長い年月をかけて、総連からは簡単に逃げ出せない仕組みができあがっている。ここでは私の家族を例に、2つ取り上げたい。

まず、私が「ご褒美」で北に修学旅行に出かけた際に会った叔父の話のように、家族や親戚が北側にいると、彼らを「保護」するためには総連にたてつけないのだ。

その代表例は「帰国者」だが、私の叔父は「帰国者」ではなく、朝鮮大学校で成績が「優秀」だったために北に留学し、そのまま北に残っている、という体裁である。「祖国に貢献しなさい」という理由で、在日を北朝鮮に送る選抜が行われ、私の叔父も70年代に自分の意思とは関係なく留学することになり、そのまま農村の指導者として貧しい暮らしを余儀なくされてきた。

まだ監視のゆるかった時代に修学旅行で北を訪ねた私は、叔父と再会することができ、真相と本音、不満を全て聞き取り、日本に帰って家族にその様子を伝えた。それからは、叔父に平壌で良い暮らしをさせるため、私の家族は総連を通じて乗用車やバスなど数十台単位の「贈り物」を行った。そのかいあって叔父は平壌に「栄転」できたが、今でも数カ月間隔での送金は欠かせない。要するに、人質である。

また、かつては在日の経営する事業だと日本の金融機関から借り入れが受けにくく、朝銀など、民族系の金融機関を頼らなければならなかった。同時に、決算や税務申告の支援を受けるという名目で、各地の朝鮮商工会にも属していた。どちらにも、総連から人間が送り込まれ、情報は共有されている。

これは同胞をお互い助けるという表向きの目的以上に、在日経営者の帳簿や経営情報を総連側が握り、どこの誰がどれだけもうけているかを完全に把握できる仕組みになっていたことを意味する。

いわゆる「在日特権」として、在日の所得税や法人税が著しく低かったという指摘があるが、ある意味ではそのとおりである。私は直接「恩恵」を受けたことがないので詳細は分からないが、周辺の話を総合すると、朝鮮商工会を通して申告をしている企業に対しては日本の税務当局の監視がゆるく、あるいは現場レベルで「柔軟な」運用がなされているようで、納税額がかなり圧縮され、有り体に言えば裏金も作り放題だったようだ。

だが、それは結局朝鮮総連のために行われているわけだ。在日の経営者が「脱税」したお金や裏金を丸ごと自分の懐に入れられるわけではない。帳簿や申告の数字は総連側に集められ、どの会社、どの人にいくらの利益が残っているかが筒抜けなので、それ相応の「寄付」を上納しなければならなくなる。断れば在日社会から弾かれてしまうので、拒否はできないわけだ。

かつて私の母がぼやいていたことを覚えている。

私が小学校で少年団に入れられ出世コースのポスター係になり、北から送られてくる奨学金のありがたさをテーマに絵を描いていた。その様子を目にとめた母は、深いため息交じりに、

「その奨学金はね、結局私らが送ったお金なんだよ……」

と教えてくれた。

「毎月、総連の人がウチを訪ねて来るでしょう？　あの人たちが集めていくんだよ」

日本の町会費が1カ月数百円なのに対して、総連が集めていくのは何十万円にもなるの

だった。

朝銀破綻時の報道によれば、朝鮮総連が北に送金した総額は15兆円にもなるという。それは、決して逃げられない状況の在日から少しずつ取っていったものだったのだ。

もっとも、ここ20年ほどで時代は大きく変わりつつある。最近在日の諸先輩方に聞いた話を総合すると、3世世代以降は、朝鮮総連の社会問題化、弱体化に伴い、徐々にしばりもゆるくなっているそうだ。同時に（私もそうだが）総連の「システム」から抜け出して暮らしている人も少しずつ増えているし、また人間関係や地域のつながりから籍こそ総連に残していても、昔に比べれば濃密度はなくなってきているという。

民族系金融機関はバブル崩壊の影響を大きく受けたこともあって弱体化したし、一般的な日本の金融機関や、私のように公的金融機関から融資を受けられるようになってきたことも大きい。

総連が民団を乗っ取る！

ただし、総連もこのままでいるつもりはなかったようだ。現在の総連の動きをひと言で言うなら、公然と「民団の乗っ取り」を図っている。

日本人には信じられないかもしれない。「常識」としては北朝鮮を代表している総連に対抗し、反共・韓国支持なのが民団というのが構図だからだ。

しかし、たとえば2022年5月下旬、金正恩国務委員長（朝鮮労働党総書記）は、東京での朝鮮総連全体大会に合わせて書簡を送り、在日本大韓民国民団（民団）などとの「民族団結事業」を強化するように指示している。これはメディアでオープンに報道されている内容だ。これだけ読んでも「総連vs民団」という図式ではなくなっていることがわかるのではないだろうか。

もう少し細かく見ていこう。金正恩氏は書簡で「総連は民族大団結の旗印の下、民団をはじめとする組織外同胞との民族団結事業を強化して統一愛国勢力を一層拡大し、彼らとの共同行動、共同闘争を活発に展開すべきだ」と指示している。

今までなら、北朝鮮はこのようなことを絶対に言ったりしなかった。だが、背景を考えれば、この流れは理解できるだろう。

すでに述べたとおり、拉致問題を認めたことで北朝鮮に対する日本の国民感情は一気に悪化し、朝鮮総連への不信感も高まった。

総連としては、それまで通りの運動、活動はできなくなった。そして日本社会の中で生きていかなければならない在日は次第にイメージの悪化した総連を離れ、韓国籍を取得したり、民団に入ったり、あるいはこれを機会に日本に帰化する人も現れ始めた。

つまりこの段階で総連に残っているのは、ある程度「純粋な」北朝鮮支持者ということになる。しかし、今までのような活動はできないし、彼らの主張は日本社会にも響かない。そこで、民団側への働きかけ、あるいは乗っ取りを公然と始めたのだ。

まず、日本人が考えているような「総連vs民団」のような縮図は、表向きはさておき実際の人間関係においてはもともとそこまで激しいわけでもなかった。

実際の南北間には軍事境界線が走っているが、在日の先祖はほとんどが慶尚道や済州島の出身、つまり現在の韓国側の人間だし、普段から商売や人間的な付き合いもある。前に述べたように仕方のない事情で総連に残っている人がいる事情もよく分かっている。私の家のように、同じ家族で総連と民団に別れているケースもある。

総連を辞めてそのまま民団に入る人が警戒されるわけでもないし、総連と民団を掛け持ちで活動している人もいる。実は、私の親戚にもいる。

金正恩氏の指示は、それをむしろ公然と行い、総連のままでは集めにくくなっている日本からの外貨集金ルートを開拓しようとしていると解釈できる。

また、民団を事実上総連化することで在日社会への影響力を強めようと考えているようだ。在日にもすでに韓国籍になった人が多いが、北朝鮮は在日を一般的な韓国人とはわけて考えているとも受け取れる。

いずれにしても、韓国への忠誠を誓っているはずの民団に直接言及して、「共同行動」や「共同闘争」などと言い始めている時点で、すでに民団側には相当部分総連側の人間が入り込み、偽装の段階を通り越して公然化していると見ることができるだろう。

また、見方を変えれば、北朝鮮による念願の「民族の一致団結」が、日本の在日社会でだけ実現しているという構図にも見える。

もうひとつ、重要な点を指摘しておきたい。実は民団は民主化以降の韓国で、長い間韓国政府側から良い扱いを受けてこなかった。特に、補助金をどんどん減らされてしまったという。

民団はある意味では「軍事政権の遺物」なのだ。

ところが、文在寅前大統領は違った。民団の行事にメッセージを送り、補助金も復活させた。年間3億円だという。

これはむしろ、民団の左傾化が完了し、むしろ親北団体として、北主導での民族統一を在日社会において実現しつつある団体として認めたと考えるべきだろう。文在寅政権が支援していた団体は、そういう団体ばかりだったのだから。

民団に関わりのある周辺からの話を聞くと、反共、韓国支持の民団を知るお年寄りはだんだん少なくなり、代わりに総連の息がかかった人間が入り込んできた「成果」なのだという。

朝鮮学校に行くしかない生徒たちはかわいそう

最後に、もう一度朝鮮学校の話に戻したい。

拉致問題の公式化は、朝鮮学校の状況も変えた。

2008年高校卒業のある後輩に聞いた話だが、彼が在学中に目の当たりにした総連と朝鮮学校の「崩壊」はあからさまだったという。

総連からの脱退、国籍の変更や帰化だけではない。朝鮮学校からも生徒が減っていき、新入生も少なくなった。統廃合も進んだ。そして、よくも悪くも私の世代には色濃かった

「不良学校」や「ハングリー精神」のイメージは薄くなり、他校とのトラブルもなくなって、表向きはとても「穏やか」な学校生活になったという。

だが、別の問題も生じたという。

この段階でも総連や朝鮮学校に残った人は、本物の総連支持者であり、以前は許されていた柔軟さが朝鮮学校から消え、より思想的には引き締まった。それは、朝鮮総連を再生産する仕組みとしての朝鮮学校の役割が、さらに明確になったことを意味する。

私の世代以上に、朝鮮学校にいる現役の子どもたちが、総連、そして学校や先生が教える狭い世界に閉じ込められてしまっていると思うと、本当にかわいそうだ。

まず、彼らの多くは私と同じく、自分の意思で朝鮮学校に通っているわけではない。どの学校に入るかは、あくまで親の考え、親の判断次第である。

現在は韓国籍の在日でも、子どもに民族教育や言葉を教えたいという思いで子どもを朝鮮学校に入れるパターンもある。実際、私の知るある現役生のケースでも、親はそれほど総連に肩入れしておらず、朝鮮学校が時代遅れになっていることを認識はしているが、「民族としてのバックグラウンドを知っておいて欲しい」という思いで朝鮮学校に入れたそうで、本人も親の考えは理解しているし、自分自身でも朝鮮半島にルーツがある人間としてのバックグラウンドやアイデンティティを大切に感じているという。この点には、私も深く共感する。ただ、余計なお世話かもしれないが、そのために子どもが失っている人生を考えると本当に気の毒だ。

厳しい言い方をすれば、そういう親は恐らく日本の学校出身で、実態を知らないのだろう。私も含め、朝鮮学校出身者であれば、自分の子どもを「民族教育を受けさせたい」という理由だけで朝鮮学校に送ったりはしない。

どうしても日本の公立がいやなら、日本の私立に入れても、インターナショナルスクールに入れてもいいし、韓国語は専門の学校やインターネットでいくらでも学べる。

現実として、朝鮮学校に子どもを入れた後で考えを改める親も少なくないそうだ。子どもの立場では、学年が上がっていくにつれ日本の学校に転校していくクラスメイトが増え、同級生が減っていく現状を感じているという。

私たちの世代と比較しても、朝鮮学校を見つめる日本社会の視線は厳しくなっている。無理もない。拉致を認めた北朝鮮に何兆円ものお金を送り、今もなお北を支持している、というか北そのものである朝鮮総連の学校なのだ。

まず在日は、日本社会で生きている以上日本の法令を守らなければならないのは当然だ。

北朝鮮はいま核とミサイル開発で日本だけでなく世界から批判を受けている。まともな在日であれば、この件について自分の立場を明確にしなければならないはずだ。

その一方で、いま朝鮮学校に通わされている子どもたちは、ネットの登場など時代の変化も相まって、私たちのようなワイルドさはなくなっている。同時に、自分の通う学校が日本社会から白い目で見られていることも痛感している。わかりやすく言えば、内向的でオタクっぽくなっている。

つまり、現在の朝鮮学校の生徒たちには、どこにも出口がない状況なのだ。学校や先生は決まり切った狭い世界のことしか教えてくれない。親は朝鮮学校に通えという。そのなかで、自分の人生、宿命、ルーツ、将来の夢などで悩んでいるが、信頼して相談できる相手もほとんどいない。

在日でも日本の学校に通っていればかなり状況は違うし、途中から日本の学校に転校できた子どもは、日本社会や海外でも自分なりの道を見つけられるだろう。

最近、在日の友人（韓国籍）の子どもたち（20代）と話した。彼らは朝鮮学校から中学で日本の学校に転校し、そのまま日本の社会で生きているが、「差別を感じたことはない」と言い切っていたのが印象的だった。むしろ韓国語ができるために韓国ドラマやＫ－ＰＯＰ

好きの友人ができたり、そもそも外国語ができるということ自体が勉強や社会生活にプラスに働いたりして良かったという。ちなみに、彼らは通名ではなくずっと本名を名乗っている。時代は大きく変わったと感じる。むしろ、私が韓国に帰国したら「在日」だと差別されているのだから。

繰り返すが、朝鮮学校に入ったこと自体、子どもたち自身の責任ではない。同じ在日、朝鮮学校の先輩として、何とか苦しんでいる後輩たちの力になれないか、今いろいろと動きを探っているところだ。

「朝鮮学校授業料無償化」はあり得ないだろ

朝鮮学校が高校授業料無償化の対象にされていないことに抗議している人たちがいる。朝鮮学校や総連の関係者は当然そうするだろう（ただし裁判では2021年までに最高裁で敗訴が確定済み）が、中には日本人にもそれが「民族差別」だとか、「ヘイト」だと考えている人がいることは見逃せない。

分かっていて加担しているのであれば仕方ないが、何となく「差別」や「ヘイト」はいけないから無償化賛成だと考えている日本人もいるようだ。良心につけこまれてしまっているることが心苦しいし、そもそもその「良心」が状況を大きく誤解してしまっていることがとてもふがいない。

なぜなら、それは朝鮮学校に行かざるを得ない子どもにとって、完全に「逆効果」になってしまっているからだ。

朝鮮学校の無償化で、そこに通う生徒は報われない。「良心」を向けるべき対象はほかにあるのだ。

私のように、韓国社会や韓国人、あるいは朝鮮総連や朝鮮学校に対する疑問や「違和感」を述べても、反対する人たちからは「ヘイト」と呼ばれてしまうのが最近の風潮だ。私は韓国人であり、かつては朝鮮総連に属し朝鮮学校に通っていた当事者なのに。

私の言いたいことは2点ある。

まず、日本に工作員を送り、日本人を拉致し、その日本人を帰さず、日本上空にミサイルを飛ばし、日本政府や日本国民に罵詈雑言を浴びせ、日本の秩序を破壊しようとしている北朝鮮や朝鮮総連が運営している朝鮮学校に、なぜ日本が国民の税金を投じて「無償化」してあげねばならないのか？

無償化賛成の人は、朝鮮学校と朝鮮総連の問題、関係性を知っているのか？　知っているのであれば、なぜそれをオープンにしないのか？

そんな朝鮮学校に「無償化」をしないことが「差別」や「ヘイト」に当たるのか、そう主張するならそこを説明すべきではないか？　まずは北が敵対的行動を止め、日本の法令や秩序を尊重することが先なのではないか？

次に、朝鮮学校は、私がこの章で述べてきたとおり、日本人が考えるような「学校」ではないということだ。

朝鮮学校は総連を、日本の中の「小さな北朝鮮」を再生産する仕組みであり、民主的な運営をしていない。子どもは親のランクでしか評価されず、能力や本人の希望に応える教育をしていない。

朝鮮学校における問題は、「無償化」ではない。そんな学校に通わされている子どもを助けてあげることだ。むしろ「無償化」することで、彼らを朝鮮学校に閉じ込める動きが強くなることを、どうか認識して欲しい。

また地域の朝鮮学校に出向き朝鮮学校を見学して良い学校だと思ってしまう日本人がいるが、部外者の日本人が学校を訪問する際、朝鮮学校は都合の悪い物を全て外して隠している事を知るべきだ。

私の時代には日本人の学校訪問はほとんど無かったが、今は地域の日本学校との交流、教師同士の交流、日本人父兄の理解を深める交流など、日本人に訪問される度に都合の悪い物は全て外して隠していると現役学生は私に語ってくれた。

朝鮮学校との交流が頻繁なある地域の日本人父兄は、「自分の子供達が北朝鮮の歌を覚えさせられ、朝鮮学校に出向いてその歌を発表させられたが、その後、子供も自分たちも朝鮮学校との交流は全くない」と言う。「何の為の交流だったのか理解に苦しむ」と相談を受けたことがあるが、それは朝鮮学校と総連が日本社会に訴えシンパシーを得るための見せかけの交流だったということだろう。

ここで日本の皆さんにひとつお願いしたい。朝鮮学校の「無償化」には私も反対だが、どうかその感情を生徒にぶつけるのはやめてほしい。彼らに責任はないし、彼らはただでさえ傷ついているのだから。

批判すべきは、彼らを朝鮮学校に送り込んでいる大人であり、そんな朝鮮学校を運営し続けている朝鮮総連である。

ようやく日本人が韓国や北朝鮮の問題に気づいてからまだ20年足らずだ。どうか、反日勢力に惑わされず、正しく問題を認識してくださるように願うばかりだ。

おわりに

日本で生まれ育ち、日本にいたときは日本への感謝も無く、在日として過ごしてきました。

朝鮮学校に通い、窮屈な総連から逃げ、勝手気ままに生きたお陰で親不孝が祟り、親の死に目にも会えず、大きく落ち込んだ時もありました。

そこから奮起して数年後、最後の事業は親孝行を兼ねて親の祖国である韓国で何か韓日の絆になるようなことが出来ないかと模索しながら渡韓しました。でもまさか韓国で、政権によって国の体制が資本主義的な自由から簡単に共産主義的な独裁体制に入れ替わるとは夢にも思っていませんでした。一時期は親から逃げた私への罰なのかとも考えましたが……。いま私は、尹錫悦大統領になってどこまで立ち戻れるか見ています。

日本ではいつも在日という意識がまとわりついて、世間で成功するには開き直るしかない状況でしたが、韓国へ渡れば韓国人として生きられるだろうと思いました。

それが、韓国こそが日本よりも我々在日に対して差別が厳しいとは。「朝鮮半島は一つの民族」と叫びながら我々在日と脱北者への差別は韓国人の日常生活に溶け込んでいたのでした。日本で暮らしていたときは参政権がない為に政治への関心も無頓着でしたが、韓国では政治的に右か左かハッキリさせないと相手にもされませんでした。

最初は親を偲んでの韓国入りでしたが、韓国で13年暮らすうちに、その思いは日本への感謝へと変わってきました。

オンラインメディアで記事を書く度に「在日」と名乗る事へのお叱りを受ける事もありました。通名を使う事へのお叱りを受ける事も、特別永住権でお叱りを受ける事もありました。でもそんな事を引っくるめ、外野から何を言われても、在日は日本で努力しただけの暮らしが出来てきたことに感謝すべきだと私は韓国で思っています。こういった思いに至るまでの韓国の現実を知る在日は少ないと思います。また日本人も理解できない韓国での出来事も多いと思います。

私自身、文才も何も無い人間だけど体験が面白いというだけで記事を書かせて貰っています。

この書籍に関しても多くの方のご協力のもとで出来上がっています。

私をいつも助け協力してくれるのは日本人と同じ在日しかいないと韓国で気付かされま

した。事実、韓国でのどん底から引き上げてくれたのも在韓の日本人と在日でした。韓国に13年住んでも韓国人の誰も助けてはくれない。それどころか何度も詐欺られたのは根底には在日だから、と言う意識があるからかもしれません。韓国では同じ韓国人に対してもなかなか助ける事が少ないのに、我々在日に手を差し伸べてくれる訳もありません。もし手を差し伸べられても、私の経験上、こちらが利用され捨てられることを考えておかねばなりません。

私の体験は決して特別な体験ではなく、周りの韓国在住日本人経営者も在日も同じような体験を繰り返しています。文政権になるまでそんな苦労話を聞いてくれる日本人もいませんでした。

「人に騙される……。そんなことは商売に付き物だろ」で終わってしまいますが、韓国での苦労は日本でのそれとはどこか本質的に違う感じがしています。

私は今、ありがたいことに韓国にいて在住日本人も含めた人たちの苦労をお伝えできる立場にいます。その苦労も日本や他の先進国とは違って韓国が異質であるが故かもしれないと思います。

最後まで私ごとを中心とした韓国への「違和感」を読んで頂き、大変有り難うございました。この本をお読みになって、私のように考えている在日がいることを日本人の読者が少しでも理解して頂ければ幸いです。また日本にいる在日の方には、日本での暮らしがいかに恵まれたものであるかを再認識できる助けになったら幸いです。

それと日本で不満を抱いている在日朝鮮、韓国人は本当に一度祖国へお帰りになって生活してみる事を私は強く強くお勧めします（と言っても北朝鮮の場合は日本に帰れなくなるかも知れないのであまり強くは言えないかな）。外国である日本で権利や人権への不満を主張している在日は、参政権が無い事以外にこれほど権利と人権を与えてくれている国は日本しかないと知って欲しい。

私はいま、人々が穏やかに生活している日本で再び暮らしたいと思い始めています。

令和5年3月吉日

豊 璋

豊 璋（ほうしょう）
大阪の朝鮮学校出身在日3世。日本でいくつか事業を営む中で韓国へ日本製品を紹介するアドバイザー兼コンサルを始める。2008年から日韓を頻繁に行き来し、現在はソウル在住。文在寅政権下で政治によって左右される韓国ビジネス界のあり方や韓国人の対日観に大いなる疑問を持つ。韓国在住の日本人、在日、脱北者らによる生の韓国を日本にレポートするチームを作り、自らも現代ビジネスやJBプレス等で発表している。これまでにない視点の記事は人気を博し、たびたびアクセスランキング1位となる。

豊璋氏の
ツイッターの
QRコード

朝鮮学校卒《ちょうせんがっこうそつ》・在日《ざいにち》3世《せい》、ソウル在住《ざいじゅう》13年《ねん》
それでも韓国《かんこく》に住《す》みますか

2023年3月25日　初版発行
2023年4月28日　第2刷

著　者　豊　璋

発行者　鈴木　隆一

発行所　ワック株式会社
東京都千代田区五番町4-5　五番町コスモビル　〒102-0076
電話　03-5226-7622
http://web-wac.co.jp/

印刷製本　大日本印刷株式会社

ISBN978-4-89831-970-3